vabfs
WESSL

Wessling, Pablo, 1984- author
Tres chicos buenos
33410017187701   08-07-2021

VAL

S0-AGB-251

Tres chicos buenos

Tres chicos buenos

Pablo Wessling

Rocaeditorial

© 2021, Pablo Wessling

Primera edición: marzo de 2021

© de esta edición: 2021, Roca Editorial de Libros, S. L.
Av. Marquès de l'Argentera, 17, pral.
08003 Barcelona
actualidad@rocaeditorial.com
www.rocalibros.com

Impreso por LIBERDÚPLEX, S. L. U.

ISBN: 978-84-18417-91-7
Depósito legal: B. 2255-2021
Código IBIC: FA

Todos los derechos reservados. Quedan rigurosamente prohibidas,
sin la autorización escrita de los titulares del copyright, bajo
las sanciones establecidas en las leyes, la reproducción total o parcial
de esta obra por cualquier medio o procedimiento, comprendidos
la reprografía y el tratamiento informático, y la distribución
de ejemplares de ella mediante alquiler o préstamos públicos.

RE17917

A mi madre,
por decirme desde que era un niño que escribiera

Índice

1

¡Nos vamos!

$\mathcal{T}$ ristán metió la nevera llena de hielo y bebidas en la furgoneta, colocó su maleta verde lima al fondo y ajustó por tercera vez las dos sombrillas que su madre le había obligado a llevarse.

—Mamá, de verdad, no hacen falta.

—A saber dónde acabáis… Al menos, que no os queméis. Te he puesto también crema de sol, échate siempre.

—Que sí, mamá. Me voy ya. Y papá, ¿por qué no baja?

—Está en la piscina —dijo sin mucho ánimo—. Creo que no se atreve a decirte ni adiós. Está bien fastidiado.

Tristán cerró la furgoneta y subió las escaleras que desde el garaje llevaban al jardín. Antonio estaba sentado, con la mirada perdida en la piscina, la cara seria y acariciándose la barbilla.

—Papá —dijo poniéndole la mano en el hombro—, me voy ya.

—Hijo… —suspiró sin mirarle—, de veras que lo siento…, y no sabes cuánto me avergüenzo.

—Si me explicaras mejor lo que pasó, tal vez podría ayudarte.

—No, hijo. Esto es cosa mía y ya no se puede hacer nada. Tú diviértete, que es lo que tienes que hacer. En fin —dijo poniéndose en pie—, pasadlo muy bien. Saluda a Luis y a Guille de mi parte. Son buenos chicos, los tres lo sois.

Tristán le abrazó con ternura.

—Se lo diré.

—Aún no entiendo cómo podíais trabajar de día, salir de

noche… —recordó Antonio con una sonrisa—, volver a trabajar al día siguiente, volver a salir. Yo os veía poniendo helados con unas ojeras que os llegaban a los pies.

—Sí sí. Y aún decimos que fue nuestro mejor verano. —Se rio Tristán.

—Y ahora os vais de viaje, os toca disfrutar. Sobre todo, si estás cansado, paráis. ¿Solo conduces tú?

—Luis también, no te preocupes.

—Dales un beso.

—De tu parte.

Tristán volvió al garaje. Su madre le esperaba con una bolsa de tela, dentro había embutido, zumos y galletas.

—Gracias, mamá.

—Tened cuidado, que Guille puede ser muy loco.

—Exagerada. —Tristán le dio un beso y se puso al volante.

Dejó la bolsa en el asiento del copiloto y tecleó en el GPS del móvil las direcciones de Luis y de Guille, que vivían en el centro de Barcelona. Puso el motor en marcha, le dio la mano a su madre por la ventanilla y salió despacio mientras acababa de abrirse el portón metálico.

Antes de incorporarse a la calzada, abrió el grupo que tenía con sus amigos y les puso un mensaje:

TRISTÁN. Saliendo de casa!!

Luis estaba en su apartamento acabando de meter unas últimas cosas en la mochila. Mario le observaba.

—He mirado la temperatura de los próximos días y la probabilidad de que haga frío o llueva es muy baja —dijo Luis mientras dejaba un jersey en el colgador—, no hace falta que me lleve dos.

Cerró la mochila y agarró la maleta.

—¡Te dejas el bañador! —le dijo Mario sujetando uno negro en la mano.

—¡Gracias, mi amor! —Luis alargó el brazo para cogerlo—. Aunque la probabilidad de que yo use este bañador es aún menor.

—¡No me digas! —le dijo sonriente, le rodeó la cintura acercando su cuerpo y le besó el cuello.

Se persiguieron con los labios y se cogieron de las manos. Mario le acarició los dedos y se retiró con un gesto de sorpresa desagradable:

—¿No llevas... el anillo...?

—Eeeh..., es que... aún se me hace raro, ya cuando nos casemos me pondré el de verdad, ¿no crees?

Mario no respondió. Luis le dio un beso.

—Me tengo que ir. Te quiero.

—Y yo. Pásalo bien. Ya me vas contando qué tal os va.

Luis llamó al ascensor mientras se colocaba la mochila. En cuanto salió del portal, vio que Tristán había aparcado en un vado.

—¡Venga, Luisito! —le gritó.

Se acercó deprisa, metió su maleta en la parte de atrás y ocupó el asiento del copiloto. Le faltó tiempo para lanzarse sobre su amigo. Le dio un beso fuerte en la mejilla y se abrazaron.

13

—¡Cuánto tiempo!, y qué bien peinadito que estás —le saludó mientras le despeinaba el tupé.

—¡Para! —Se rio Tristán apartándole el brazo.

—El otro día leí que el tupé ya lo llevaban los antiguos líderes romanos; y eso que la laca se inventó casi dos mil años después. Algo no cuadra.

—Echaba de menos tu sabiduría en todos los campos del saber —siguió la broma—. Estoy llamando a Guille, pero no responde.

—Según su última conexión, que fue exactamente a las 6:05 de la mañana, ayer salió de fiesta, así que estará durmiendo.

Mientras un móvil en silencio anunciaba la llamada entrante de Tristán, Guille iba abriendo poco a poco los ojos. Su habitación era también el salón y la cocina, todo en un mismo espacio. Por la ventana, con la persiana a medio bajar, entraba la luz del sol. Estaba estirado a un extremo de su cama, con la cabeza ladeada, hundida entre la almohada y el colchón. Una sábana blanca enrollada le cubría parcialmente el cuerpo. Empezó a mover el cuello, luego estiró un brazo y bostezó… Sus pantalones estaban en el suelo; al lado, su camiseta roja de tirantes, arrugada y hecha una bola; su bóxer negro estaba aplastado en una esquina de la cama. En la mesita de noche, abierto sin delicadeza por una esquina, un embalaje de aluminio, cuadrado, vacío.

Frunció el ceño pero enseguida sonrió y levantó las cejas. Aún con las pestañas pegadas, con la mano derecha palpó detrás de él tocando el cuerpo dormido de otra persona.

Guille se giró despacio y, medio incorporado, alargó el cuello buscando la cara de aquel chico. Era rubio y con la piel blanca y fina sin apenas vello. Observó su delgado cuerpo, cubierto también por la sábana.

Empezó a destaparlo con sigilo, palpando sus brazos, recorriendo con los dedos los definidos pectorales. Le siguió acariciando a ciegas hasta detenerse justo bajo el abdomen. Mientras veía cómo abría los ojos lentamente, su mano juguetona empezó a moverse con vaivenes sacándole una sonrisa.

—*Good morning…* —murmuró el chico con la voz perezosa y sin vocalizar apenas.

Guille le besó el cuello. Sin sacar la mano de debajo de la sábana, pronunció con dificultad:

—*Good morning, my sweet prince…*

Aquel chico rubio giró la cabeza con una mirada adormilada y de burla. Se incorporó hasta sentarse contra el cabezal de la cama y preguntó:

—*Weren't you going on holidays, this morning?*

—*What?* —replicó Guille risueño—. *Slowly, please, or Spanish, please, or kiss me, please.*

—*Sorry…* —El chico se rio sin besarle y pensó un poco—: Hoy, tú, tus amigos, *holidays!* —dijo con un marcado acento británico.

—*Holidays…?* —preguntó Guille extrañado. De golpe, reaccionó y le cambió la cara por completo.

Saltó de la cama y corrió hasta la mesa donde tenía el móvil cargando, vio las llamadas perdidas de Luis y de Tristán y muchas notificaciones. Abrió el grupo que tenían los tres. Pasó rápidamente todos los mensajes, chequeando la hora a la que

Tristán había salido de casa, Luis estaba listo, ya había bajado... y finalmente leyó que estaban debajo de su casa esperándole, desde hacía más de una hora.

Pulsó sobre el micrófono para enviarles un audio:

—Perdón. En diez minutos estoy abajo, lo siento, ya bajo, ¡os quiero!

Vació la bolsa de gimnasio, donde había ropa sucia y húmeda, y la llenó con un par de bañadores que cogió del armario, unas camisetas que arrancó del tendedero, un pareo que estaba usando de mantel y ropa interior que tenía sin doblar en los cajones. Cogió una camiseta olvidada sobre una silla, la olió y con ella empezó a vestirse, después se puso las bermudas que seguían en el suelo y, tras buscar debajo de la cama, se calzó las chanclas.

—*May I help you?* —preguntó el chico, que se estaba poniendo sus calzoncillos por debajo de la sábana.

—*No, thanks...* —Sonrió Guille—. *You wanna shower? There is no food in the kitchen, maybe coffee... I have to go, fast. Sorry.*

En pocos minutos, ya estaba vestido, con la bolsa preparada y las llaves en la mano. Su invitado se había puesto el *slip* y las gafas.

—*I have to go. Take a shower if you want* —dijo señalándole una toalla tendida sobre la puerta del baño—. *And just close the door.*

—*Ok, thanks.*

Guille le besó en los labios, le pellizcó un pezón y se despidió.

—*Are you travelling with guy you're in love with?*

Guille puso cara de no haber entendido nada.

—*What? In love, what? Who? You in love? With me?*

—*Oh no no...* —Se rio el chico negando con los brazos—. *Yesterday* —se ayudaba de la mímica— explicar *that you* —le señalaba— *are in love* —dibujó un corazón juntando las manos— *with* tu amigo.

Guille se quedó mudo tensando la garganta como si se le hubiera escapado alguna cosa. Hizo un esfuerzo para relajarse; eran dos desconocidos y apenas entendía uno el idioma del otro.

15

—Bueno, a ti te lo puedo contar —le dijo muy deprisa y sin vocalizar apenas—. Sí, sigo enamorado de mi amigo, y me voy de vacaciones con él.

—*What?*

—*No matter...* —dijo yéndose hacia la puerta—. *Your name?*

—*Harvey* —respondió sonriente—. *Yours*, Guille?

—*Oh, good memory* —dijo mientras salía—. *Bye bye!*

Llamó al ascensor, pero no funcionaba, así que bajó de dos en dos las escaleras.

Cuando Guille puso un pie en la acera, la luz del día le cegó. Tuvo que pararse para buscar en la bolsa las gafas de sol. Cuando llegó a la furgoneta, Luis se había pasado al asiento trasero y él se sentó delante.

—Lo siento, de verdad.

—No mientas. No lo sientes... —dijo Tristán mientras arrancaba.

—Es verdad, no lo siento. Si vierais lo que he dejado en casa... —Guille se giró mirando a Luis y mordiéndose el labio—. *Oh my God!* Un guiri, tan mono, pero ¡tan mono! Eso sí, no he entendido su nombre, Henry o Harry se llamaba.

—¿Lo has dejado ahí? —preguntó Luis—. La mayoría de robos en casa son en verano, y tú dejas a un desconocido dentro cuando te vas para dos semanas.

—Pero ¿qué quieres que me robe, el champú? —Guille tenía los ojos brillantes y enrojezidos—. Yo qué sé, creo que aún voy borracho.

Tristán puso la furgoneta en marcha y gritó:

—Bueno, ¡por fin se juntan las Heladeras!

Los tres estaban exaltados: Luis daba indicaciones, Guille iba contando cómo había sido su noche y buscaba canciones en el móvil que sonaban a todo volumen. Tristán intentaba concentrarse en la conducción sin renunciar a la charla:

—¿Os acordáis de cuando se creó el grupo?

—Que si me acuerdo —respondió Guille—. Yo, llegando tarde el segundo día, qué mal lo pasé.

—Y yo confundiéndome de hora. —Luis se tapó la cara con una mano—. Muy raro en mí.

—Hace siete años ya, ¿eh?

—¿Siete? —gritó Guille sorprendido—. Claro, porque vosotros trabajasteis aquel verano solo, pero os recuerdo que yo me pasé dos años más ahí poniendo helados... Después estuve poniendo copas, después poniendo mesas... Aquí, el eterno camarero.

Guille contó algunas anécdotas de sus trabajos, tanto en El Cucurucho como en otros locales durante los siguientes años. Les explicó que se le pasaba el tiempo volando, que trabajaba casi todos los días y que jamás libraba festivos ni vacaciones. Dos semanas de vacaciones, para él, eran un lujazo.

Siguiendo las indicaciones del GPS, cogieron la AP-7 para salir de Barcelona. El paisaje lo ocupaban polígonos, algunas fábricas y nudos de autopistas que redirigían a los vehículos a norte, oeste y sur.

—Según el Maps, hasta Benidorm son unas seis horas —dijo Luis.

—Lo que no entiendo —dijo Guille algo indignado— es ¿por qué vamos a Benidorm? Vale, sí, hicimos la broma en El Cucurucho. Pero era eso, una broma.

—Bueno, pero vamos allá y ya veremos —dijo Tristán—, tenemos dos semanas, podemos hacer lo que queramos.

—Y Benidorm siempre sale en las noticias, es famoso —retomó Luis—, es el típico sitio al que hay que ir, al menos, una vez en la vida.

Guille hizo una mueca de cierta inconformidad.

—Pues nada, somos tres señoras que nos vamos a Benidorm a disfrutar de la playa.

Los tres se rieron.

—Aún me meo de risa cuando le decíamos a la gente —siguió Guille—: «Bienvenidos al Cucurucho, la mejor dieta».

—Y les poníamos helados de veinte mil bolas —dijo Luis—, sin azúcar apenas.

—Yo les decía: «Ahora esto hay que quemarlo» —añadió Guille—. Y reconozco que a alguno le ayudé, todo por la empresa.

Luis y Guille estuvieron recordando algunas historias de aquel verano.

—¿Y aquella semana en la que decidí aprender a decir fresa en todos los idiomas? —recordó Luis.

17

—Me acuerdo —respondió Guille—, que yo te miraba pensando: ¿en serio le parece divertido aprender a decir «fresa» en croata?

—*Jagoda!* —exclamó Luis haciendo reír a los otros dos.

Tristán estaba más callado, escuchaba a sus amigos, pero parecía estar más pendiente de la carretera o incluso podía tener la cabeza en otro sitio.

—Dudo que tu padre haya tenido a otras *heladeras* como nosotros —dijo Guille.

Tristán levantó las cejas negando con la cabeza.

—¿Qué tal está? —preguntó Luis—. Y El Cucurucho, ¿cómo va?

—Pues la verdad es que regular todo —dijo con cierta tristeza—. Mi padre bastante mal, la verdad, y El Cucurucho tampoco está en su mejor momento.

—¿Cómo? —Guille bajó el volumen de la música—. Pero si es «la heladería de la que todo el mundo habla».

—A ver… Ya os lo contaré bien, pero…

—Pero ¿qué ha pasado? —Luis alargó el cinturón y asomó la cabeza entre los dos asientos delanteros.

—Bueno, sabéis cómo era Olegario…

—¡Uf! —A Luis se le puso cara seria—. Qué horror de persona. Aquel personaje con aquel sombrero que a día de hoy no habrá lavado aún. Que siempre me decía: «¿Me pones un café, largo?», y yo pensaba: «¿Te pego una hostia, gilipollas?».

—Pues a mí —dijo Guille—, en el fondo me caía bien, no sé…

—No he visto tío más borde en todo el mundo —respondió Luis—, no hace falta ser tan cabrón por muy jefe que seas. He tenido otros jefes y también se pueden decir las cosas bien…

—Eso es verdad —dijo Guille—. A ver, nadie me ha pegado más broncas en mi vida y a nadie creo que he odiado más, pero…, no sé, tenía algo de entrañable. A mí me daba cierta pena.

Luis negó con la cabeza y miró a Tristán, que retomó su historia:

—A ver. El Cucurucho era de los dos, al cincuenta por ciento. Hace un año estuvieron mirando para abrir un par de franquicias, para ampliar el negocio, ser más ricos aún, forrarse y dominar el mundo, imagino... Pero justo fue cuando a mi padre le dio un infarto... —Guille y Luis se asustaron—, que ahora ya está bien, se recuperó y todo bien. Pero para poder llevar a cabo todo el proceso, mi padre le dio a Olegario unos poderes para hacer en su nombre lo que creyera conveniente.

—Y se aprovechó, ¿no? —adivinó Luis—. Es que vaya hijo de p...

—A ver, eran amigos de toda la vida. Jamás había pasado nada malo. Pero Olegario, en nombre de mi padre, metió mucho dinero donde no debía y ahora..., ahora mi padre está embargado hasta arriba —tragó saliva—, y se lo van a quitar todo: le quitan su parte del Cucurucho, nos quitan la casa... y, en septiembre, mi padre irá a juicio y hasta puede que le metan en la cárcel.

—¿A la cárcel? —preguntó Guille—, pero ¿qué ha hecho?

—Es que suena exagerado, pero es que es muy fuerte. Es como que Olegario ha conseguido endeudar a mi padre a un nivel imposible de asumir...

—Hay algo que no entiendo —dijo Luis—, ¿no puede demostrar tu padre que todo lo hizo Olegario?

—Ahí es donde yo creo que me esconden algo, no me cuentan toda la verdad. Olegario tiene un contrato firmado por mi padre, con toda la cesión de poderes. Con eso se podría demostrar, al menos intentar probar, que cuando sucedió todo, Olegario actuaba en su nombre. Pero mi padre jamás ha intentado conseguir ese documento. De hecho, un día llegué a casa, mi padre no me oyó entrar. Estaba hablando con Olegario y le dijo algo así como: «¡Yo iré a la cárcel, pero a mi familia, ni la toques!».

—¿Crees que le tiene amenazado? —preguntó Luis.

—No lo sé, pero ni mi padre ni mi madre parece que quieran hacer nada. Dan por hecho el juicio, el veredicto, es muy extraño.

—Yo flipo... —dijo Guille—, pero eran amigos de toda la vida, se iban tus padres con Olegario y su mujer de viaje por ahí, ¿no?

—Pues se acabaron los viajecitos, las amistades, todo.

—¡Vaya tela!

19

Aquella historia disipó la euforia con la que habían comenzado el viaje. Luis se reclinó en el asiento de atrás vuelto hacia la ventanilla. Guille se quedó embobado mirando al infinito.

—Por eso —concluyó Tristán—, vamos a darlo todo estos días, que a mí me quedan pocas semanas de niño rico, y… ¡hay que aprovechar!

—Yo, si quieres… —comenzó a decir Guille—, te puedo enseñar a llevar vida de pobre. —Tristán parecía divertido con la propuesta—. Ahora, en vez de ir a tu piscina, nos colaremos en la de los hoteles. O en vez de irte a estudiar a San Francisco, pues te miras tutoriales de YouTube. Tendrás que buscarte amigos ricos que te inviten a todo…

—¿Igual que hiciste tú conmigo?

—¡Pues, claro! —Guille le dio un puñetazo flojo en el brazo.

Se quedaron en silencio durante unos kilómetros. Iban poniendo el aire acondicionado, comprobando con la mano hacia dónde salía el aire. Guille intentó sin éxito echar el respaldo hacia atrás. Luis estuvo revisando los cinturones y buscando el enganche del asiento de en medio. Tristán recolocó los espejos retrovisores un par de veces, hasta que no pudo más y soltó:

—Bueno, Luis, cuéntanos tú algo, que parece que Mario y Luigi van a dar un pasito más.

—¿Cómo? —Se giró bruscamente Guille—. ¿Estás embarazada? —Se rio él solo.

—Os lo quería contar a los dos a la vez, pero has tardado tanto…

—¡Cuéntalo ya! —gritó Tristán con entusiasmo.

—No es nada. Mario y yo —dijo sin aparente emoción— nos casamos.

—¡¡Aaaah!! Que me muero, ¡¡Mario y Luigi!! ¡¡Se casan!! —Guille gritó escandalosamente y se soltó el cinturón para ir a darle un beso a su amigo.

—¡Estate quieto! —gritó Tristán.

Guille se apoyó en su brazo provocando un golpe de volante que desvió la furgoneta bruscamente. Una rueda pisó la línea continua y rugosa del lateral provocando un grave rugido. Tristán pudo controlar el volante, un camión les pitó con una bocina imponente, más parecida a la de un barco que al claxon de un vehículo.

—¡Me comes la polla! —gritó Guille mientras se abrochaba nuevamente el cinturón—. ¡Verás cómo pita, cabrón! ¡¡¡Que nuestro Luis se casa!!! ¡Dale al claxon tú también, Tristán! —Se abalanzó al volante y tocó el claxon un par de veces.

—¡Guille! ¡Para! —gritó Tristán.

—¡Guille, tío! —se asustó Luis.

El camión los adelantó por la izquierda. El conductor les levantaba la mano indignado. Ellos bajaron la velocidad hasta que se volvieron a calmar.

—Bueno, Luis —retomó Tristán—, ¿cuándo es la boda? Y, lo más importante, ¿cuándo es la despedida de soltero? Y, más importante aún, ¿quién te la organiza? Y, más importante todavía, ¿quiénesson los padrinos?

—No va a haber ceremonia, ni despedida, ni padrinos ni nada —dijo Luis—. Vamos a firmar y punto. Él quiere casarse, a mí me da igual, así que firmamos y ale, una cosa menos.

Luis se incorporó en el asiento de atrás y se puso las gafas de sol para contemplar el paisaje. Los otros dos se miraron extrañados, sin atreverse a seguir con la conversación. Tristán subió un poco el volumen de la música. Guille se puso a seguir el ritmo suavemente con los hombros.

Seguían su ruta por la costa, acercándose a la provincia de Tarragona. Habían dejado atrás el marco habitual de edificios y asfalto, y apareció un panorama más verde, menos urbanizado. En algunos tramos, más allá de campos de cultivos y pueblos, se veía el mar.

En medio de una canción, por los altavoces sonó el ensordecedor sonido de la notificación de un mensaje que le llegó a Guille. En la pantalla aparecía un número con prefijo del extranjero con una fotografía. Guille lo abrió. Era una imagen de su habitación en la que se veía su cama perfectamente hecha, las almohadas apoyadas contra el cabezal y un peluche colocado con mimo en medio de la cama. Al momento, le entró un mensaje de texto:

+4475276… *It was a great night with you, thank you for being that kind. Good luck! Harvey.*

Se lo enseñó emocionado a sus amigos. Como respuesta, le envió una foto que se hicieron en ese momento: Tristán miraba al frente, Luis asomaba la cabeza con las cejas levantadas y Guille ponía morros lanzándole un beso.

Añadieron un pequeño texto:

GUILLE. ¡¡¡NOS VAMOOOOOOOOOOS!!!

2

Sin amantes, esta vida es infernal

—*S*igo sin entenderlo —dijo Guille—, si os queréis y os vais a casar, ¿qué necesidad tienes de liarte con otros? Para eso, no te cases...

—No es eso... —respondió Luis—, no sé, llevamos seis años juntos, trabajamos y vivimos juntos casi desde que nos conocimos...

—Porque quisiste —dijo Tristán.

—¡Y sigo queriendo! Pero hay algo... que..., no sé, me empuja a... de vez en cuando...

El silencio de sus amigos expresaba su incomprensión.

—No os tendría que haber dicho nada.

—¡No, no, no! —respondieron al unísono.

—Que yo no juzgo —dijo Guille—. Si es que ojalá estuviera en tu lugar. Pero... que..., que no lo entiendo. Y no pasa nada.

—Llevamos cinco horas de viaje y cuatro hablando sobre esto —dijo Luis—, ¿podemos parar y tomar algo?

—Pues sí, que yo tengo hambre ya —dijo Tristán—. ¿Hasta qué hora podemos hacer el *check in*?

—Hasta las nueve. Acabamos de pasar Castellón, estamos por Burriana, quedan menos de dos horas para llegar, podemos parar, cenar algo y seguimos.

—¡Voto sí!

Un cartel anunciaba un área de servicio a pocos kilómetros. Pararon en la gasolinera para repostar y encontraron un aparcamiento muy amplio, ocupado prácticamente hasta la mitad, una zona infantil con juegos y mesas de piedra circulares bajo unos árboles un poco más apartados. El edificio principal tenía un motel, algunas tiendas y un restaurante *self-service* con terraza. Además, una pasarela comunicaba con el otro lado de la autopista. Se dirigieron hacia allí. Desde arriba divisaban el paisaje, bastante llano, con un mar borroso que alcanzaban a ver a lo lejos. Se asomaron a la barandilla sobre los seis carriles: camiones, coches y motos fluían bajo sus pies. Se hicieron algunas fotos.

—¿Qué te pasa, Tristán? —preguntó Guille y le acercó la mano al cuello.

—Nada… —dijo cerrando los ojos y apartando la mano de Guille.

—¿Estás bien? —Luis le cogió del brazo.

—Sí sí. —Rechazó también su contacto—. Tranquilos, estoy bien, solo es un poco de…

Tristán se alejó de la barandilla y se puso en el centro de la pasarela.

—Es solo…, a veces me da vértigo, pero nada, es un poco de impresión y… —Respiró y levantó las cejas—. Y ya se me pasa…

Luis y Guille le miraron un poco extrañados. Lo cogieron por los hombros, uno de cada lado, y, callados, volvieron hacia el restaurante. Estuvieron llenando sus bandejas de comida con trozos de pizza, bocadillos y chocolate, pagaron y se sentaron a una de las mesas más alejadas de la terraza. Al poco rato, Tristán ya se comportaba con naturalidad, hablaba con sus amigos y sonreía mostrando aquella dentadura blanca sobre su marcada barbilla. Sus ojos verdes se achinaban cada vez que reía.

—Un traguito puedo beber, ¿no? —preguntó dando un pequeño sorbo a la cerveza de Luis, quien no levantaba la mirada del móvil.

Estaba con una aplicación en la que podía ver los chicos que estaban conectados y su distancia aproximada.

—Hay un tío a cien metros, y el siguiente, a veinte kilómetros —anunció un tanto desolado—, estamos en medio de la nada…

Tristán y Guille intercambiaron un gesto de reproche hacia él.

24

—¿Y Mario lo sabe? —preguntó Tristán.

—Eeeh…—contestó cerrando el móvil y mirando hacia otro lado—. No.

Sus amigos no ocultaron la sorpresa.

—No sabe nada, y tampoco quiero que lo sepa. —Tomó un trago de cerveza—. No quiero hacerle daño.

—Pero esto ya me parece un poco bestia —dijo Guille.

—A ver, tampoco es tan grave, o sí. Es que no lo sé. —Se le dibujó una media sonrisa—. Pero bueno, también son mis vacaciones. Así que…

—¡Uuuy! —dijo Guille—, así que Tristán y yo no somos los únicos con ganas de mandanga en este viajecito.

Guille se levantó y se acercó a sus dos amigos y les dio un beso en la mejilla a cada uno.

—Yo, si no os importa —les dijo acercando sus caras—, iré a por una cerveza.

—No queda mucho más tiempo, deberíamos ir yendo —dijo Luis consultando la hora.

—Ayer estuve viendo las noticias —comentó Guille—, dijeron que no tenían previsto, por el momento, mover la ciudad de Benidorm de donde está ahora mismo, que se quedará un tiempo más, al menos unos meses, en el mismo sitio, así que… yo creo que nos podemos tomar otra caña.

—Tráeme una —dijo Tristán.

—No llegaremos a tiempo —dijo Luis.

Estuvieron debatiendo si debían seguir ruta o disfrutar de aquella terraza, hasta que decidieron tomárselo con calma: si se alargaban mucho, podían quedarse a dormir allí mismo dentro de la furgoneta.

Las horas fueron pasando y en la terraza cada vez había menos gente. En la mesa iban acumulando los vasos de plástico. Hablando, volvían siempre a los mismos temas recurrentes: el verano en El Cucurucho, sus planes de futuro, sus problemas, los chicos…

—Y bueno, Guille, cuéntanos tú, ¿no? —dijo Luis en voz bastante alta.

—¿El qué?

—Eso, Guille —dijo Tristán—. Que mucho hablarnos del tío del curro, del monitor, del italiano, del taxista…, pero…

25

—Pero… ¿qué? —preguntó con expresión seria.

—¿No hay nadie? —preguntó Tristán.

—¡Alguien a quien ames con locura! —teatralizó Luis.

Guille se mostró impasible.

—Ya me enamoré, gracias. Y ya tuve suficiente.

—Pues ya sabes, no lo pienses más —empezó a cantar Luis—: «Búscate otro más bueeeno, vuélvete a enamorar».

—Hablemos mejor de otra cosa, que entre el que no sabe si casarse y el que se va a quedar pobre, ya tenemos suficiente drama en este viaje —propuso Guille levantando el vaso—, que hemos venido a pasarlo bien.

—Bueeeno —dijo Tristán—, pueees naaada. Pero nos lo contarás, ¿eh?

—Que sí, pesados, que sois muy pesados. Hablemos de cosas más importantes. Por ejemplo, a ti, Tristán, ¿te sigue gustando el helado de pistacho?

—A mí, ¡claro! Yo soy muy fiel a mis principios…

—¿Me miras por algo? —Se rio Luis—. Aunque yo también, a mí me sigue gustando el de vainilla, llamadme clásico.

—Pero habiendo de *cookies*, de tarta de queso, de caramelo… —Guille parecía salivar—. ¡Qué ricos! ¿Os conté lo que hice una vez, con uno…? —Se empezó a reír con aquella risa suya tan contagiosa mientras les explicaba su particular experiencia heladera.

Fue oscureciendo. Siguieron contándose historias durante mucho rato. Guille iba a por cerveza; Luis, además de charlar con ellos, hablaba por el móvil con un hombre que parecía estar cerca; Tristán iba proponiendo planes para los próximos días… Finalmente, les dio la una de la madrugada.

—¿Tres más? —ofreció Guille.

—Yo creo que me voy a dormir, haced lo que queráis… —respondió Tristán.

—Yo, a dormir, creo que todavía no —dijo Luis con una sonrisa cómplice—, pero otra más sí que me tomo.

Tristán se despidió y se dirigió al aparcamiento, a unos cien metros de la terraza. Aun siendo de noche, aquella zona estaba muy iluminada y se distinguía perfectamente su furgoneta naranja. A lo lejos, oía algunas voces de clientes, el paso de algunos coches y camiones por la autopista; también las cigarras ambientaban la oscuridad del área de servicio. Tristán andaba con cierto punto de torpeza, no llegaba a hacer eses, pero tampoco avanzaba en línea recta. Tenía la risa floja e iba tarareando: «Por si acaso se acaba el mundo, todo el tiempo he de aprovechar...».

Antes de llegar a la furgoneta se internó por una arboleda que marcaba el perímetro de la explanada y donde no había mucha luz. Se detuvo enfrente de un árbol y miró a su alrededor. Se aflojó el cinturón, se desabrochó el botón de las bermudas y se bajó la cremallera. Desde allí veía la pasarela que unía las dos gasolineras, ahora iluminada. También su furgoneta naranja. Justo al lado, había otra negra, similar a la suya. Vio cómo a ella se acercaba un señor, de mediana altura, llevaba un sombrero. Algo le hizo clic en la memoria, algo ofuscada por las cervezas, y cerró los ojos para concentrarse. Los volvió a abrir, Tristán le enfocaba con dificultad a causa del mareo. Aquel señor cogió una bolsa de viaje y, con ella al hombro, se dirigió al motel. Tristán se abrochó las bermudas y, con los ojos que se le cerraban, se metió en la furgoneta a dormir.

27

Cuando Guille volvió con la siguiente ronda, Luis ya no estaba en la mesa. Miró a su alrededor, tratando de localizar a dónde habría ido, y se sentó.

—¿Te dejaron solo? —le preguntó una mujer con marcado acento argentino que estaba sentada en la mesa de al lado.

—Eso parece —respondió Guille a aquella mujer con los labios y los pómulos operados, que llevaba el pelo muy arreglado y vestía elegante.

—¿Querés un cigarrillo?

—No, gracias. ¿Quieres una cerveza?

—Pooor supueeesto que sí. —Y se sentaron juntos—. Débora, encantada.

Estuvieron hablando de la noche, del calor, del verano. Después entablaron una conversación más personal. No tardaron en pedir otra ronda.

—Y contame, ¿con quién viajás?

—Somos tres amigos. Nos vamos dos semanas de ruta de playas, no sé, a improvisar.

—¡Genial! Y qué más. Somos desconocidos, nos podemos contar todo. Adoro la gente desconocida, ¿no creés? No saben nada de ti, no te juzgan, les podés explicar lo que quieras.

—No hay mucho más que contar. ¿Y tú? ¿Con quién viajas?

—Con mi futuro marido —respondió mientras se encendía un cigarrillo—, al que quiero, obvio, por la plata. Por eso me entretengo más aquí con vos, antes que irme a dormir con él.

Guille miró a lo lejos, como si pudiera ver su furgoneta, donde ya dormía Tristán.

—Pues yo sí que voy a dormir por primera vez en muchos años cerca de la persona a la que quiero.

—¡Esto es precioso!

—Pero él a mí no me quiere tanto.

—Ay ay ay…, estas historias jamás terminan bien. ¿Querés un consejo?

—No hace falta.

—Te lo doy por si acaso: alejate de él. Solo vas a sufrir.

—Qué va.

—Haceme caso, ¡salud!

—¡Salud!

Brindaron y estuvieron un rato más hablando. Cuando se despidieron, Guille acompañó a Débora a recoger el neceser en la furgoneta negra que estaba al lado de la suya. Ella se dirigió a su habitación y Guille se metió a dormir.

—Un placer conocerte —dijo Luis al hombre al que acababa de conocer hacía apenas un par de horas—. De verdad, no hace falta que me acompañes.

Cruzaban la pasarela de vuelta al aparcamiento.

—Aquella furgoneta de ahí es la nuestra.

—¿La naranja o la negra?

—La naranja, es alquilada.

—Pues la negra tiene toda la pinta de ir al sur. El logo es un faro y, si no leo mal, creo que pone algo de Palmar. Eso está por Cádiz, unas playas preciosas, podríais ir para allá.

—Uh, qué va. Eso está muy lejos. Nos quedaremos por aquí, más cerca, yo creo. —Luis se separó de aquel hombre—. Me voy a dormir. Lo dicho, encantado.

Υ

Cuando retomaron la ruta al día siguiente, los tres tenían cara de dormidos. Guille se apoyaba en la ventanilla del copiloto, Luis daba las escasas indicaciones con voz un poco cansada desde el asiento trasero, Tristán parecía estar más fresco.

—Bueno, ¿qué tal ayer? ¿Alargasteis mucho?

—Pues cuando te fuiste —explicó Guille—, yo fui a por dos cervezas más y cuando volví a la mesa, el hijo puta este ya no estaba.

Luis soltó una risilla aguda.

—Ya os dije que a la que salgo de casa…, se me sube un poco la bilirrubina…

—Pero en esa gasolinera, ¿de verdad pudiste encontrar a alguien? —dijo Tristán sorprendido.

—Bueno, hay camioneros que necesitan pasar la noche en algún lugar —dijo Luis—. Y los hay que son bastante monos y que tras diez horas conduciendo les apetece mover un poco el esqueleto y estirar las piernas, incluso abrirlas.

—¡Qué cabrón! —dijo Guille—. Pues yo llegué con tu cerveza, querido, y me senté allí solo. Empecé a beber y, dos mesas más allá, había una señora que era ¡encantadora!, argentina, de unos cincuenta, operadísima de arriba abajo, ¡la adoré!

—Y te dijo: Hola Guille, soy tu yo del futuro —dijo Luis.

—¿Y te dio un número de lotería?

—¡Que os diera una hostia me dijo! —Guille retomó—. Nos estuvimos contando nuestras penas. Me explicó de cuando vino a España, de los novios que tuvo en su juventud, de los jóvenes que ha tenido como novios… ah, ¡y que tiene un hijo maricón! ¡Brrrr!, me enseñó una foto, ¡qué hombre!, ¡qué delicia! Nos estuvimos meando de risa un buen rato. Al final, nos fuimos a dormir, ella estaba alojada en el motel, la acompañé a por unas cosas a su furgoneta y resulta que era justo la que estaba aparcada al lado de la nuestra.

—Espera, Guille… —Tristán dejó de acelerar y se pasó al carril de la derecha—. ¿Dices que era argentina?

—Sí, de Mendoza —imitó el acento argentino.

—¿Y cómo se llamaba?

29

—Yo que sé, me dijo Bárbara, Rebeca o algo así…

—¿Débora?

—¡Eso! —se sorprendió Guille—. ¿Cómo lo sabes?

—¡No no no…! —Tristán miró por los retrovisores y se movió inquieto.

—¿Qué te pasa? —preguntó Luis.

—¡No puede ser, no puede ser! ¡Mierda! —Tristán dio un golpe al volante haciendo sonar el claxon—. Mierda, mierda, ¡que era Olegario!

—¿Qué? —preguntó Luis—. Por cierto, en tres kilómetros hay que coger la salida 67.

—Ayer, cuando me fui a dormir, me quedé meando en un árbol al lado del aparcamiento. Vi a un señor que me recordó a Olegario. Pero es que estaba oscuro, iba medio borracho y, como estoy obsesionado, pensaba que eran paranoias mías. —Le faltaba el aire—. Pero es que hace unos años se casó con Débora, es argentina, tiene un hijo de nuestra edad del que mi padre me ha hablado mil veces, aunque nunca llegué a conocerle.

—¿Tú crees, Tristán? —preguntó Guille—, yo creo que estás obsesionado.

—Era él, es que le vi, ¡mierda! Lo llego a saber y… —Parecía enfurecido—. ¿Te dijo para dónde iban?

—Yo qué sé, a no sé qué playa, pero… no me acuerdo. Yo me quedé con el detalle del hijo y de sus labios operados, que por cierto…

—Esperad —intervino Luis—, ¿dices que era suya la furgoneta que estaba al lado de la nuestra?

—¡Sí! —respondieron a la vez.

—A ver, lo primero, en dos kilómetros hay que coger la salida, Tristán. Y, sobre Olegario y su mujer…, creo que sé para dónde van.

—¿Cómo? —preguntó Tristán girándose hacia atrás impulsivamente y dando un pequeño golpe de volante.

—A ver…, ¡es que es muy fuerte! —exclamó Luis—. Vuelve al carril derecho. Ayer me fui con el camionero aquel, que estaba tremendo, por cierto. Y un culito…, cualquiera diría que está todo el día sentado.

—Al grano, Luis, por favor —dijo Tristán exaltado.

—Voy, tranquilo... Queda un kilómetro para la salida.
—Tristán puso el intermitente—. Pues cuando ya me iba, le señalé nuestra furgoneta.

—Al grano, por favor —rogó Tristán.

—Mi camionero reconoció el logo de otra furgoneta. Era un faro y ponía «Villas Palmar». Me dijo que era una zona espectacular, superbonita, de playas preciosas. De hecho, me recomendó que fuéramos para allá, pero claro, está en la otra punta.

Tristán se puso serio y frenó bruscamente.

—¿Qué haces? —se asustó Guille—. Coge la salida.

—En quinientos metros, la salida, Tristán —le indicó Luis.

Y, en efecto, se empezó a incorporar al ramal pero iba a una velocidad tan baja que casi estaban parados.

—Guille, tú no querías ir a Benidorm, ¿verdad? —Le miró travieso—. ¿Y si no vamos?

—¡Ni de coña, Tristán! Estamos a una hora... Tenemos resaca... Además, que este viaje es para estar los tres, no para perseguir a un capullo.

—Un capullo, sí —se alteró Tristán—, pero eso puede salvar a mi padre.

—Lo sensato sería que fuéramos a Benidorm, no nos desviemos de la ruta —dijo Luis sin dejar de mirar hacia atrás por si estaban interrumpiendo el tráfico en la incorporación—. Allí lo pensamos y mañana, si eso, vamos para allá.

—¡Exacto! —le apoyó Guille.

—Luis, ¿dónde está el pueblo ese?, ¿dónde está ese faro?

—Está... por Cádiz, a ocho horas de aquí..., muy lejos. Venga, Tristán, luego lo vemos con tranquilidad.

Tristán ya estaba entorpeciendo a los vehículos que iban detrás, que les pitaban y adelantaban con gestos de enfado.

—¿Y habría que seguir recto? —Tristán miraba la autopista, el retrovisor, a sus amigos...

—Sí, claro... —dijo Luis con miedo—, habría que seguir recto... un buen rato más. Como ocho horas.

—¡Que no nos desviamos! —gritó Guille—. Vayamos a Benidorm.

La línea discontinua del carril de incorporación había terminado. Tristán miró por los dos retrovisores y giró repenti-

31

namente, pasando por encima de las balizas para tomar el desvío en el último momento.

—¿Estás loco? —gritó Guille y cogió el volante haciendo fuerza hacia el lado contrario que Tristán.

—¿Qué haces?

Estuvieron forcejeando, dando tumbos con la furgoneta. Tristán bajó la velocidad.

—¡Deja el volante, Guille!

Entonces oyeron el sonido de una sirena de Policía.

—¡Mierda! —dijo Luis—, es que… ¡qué coño hacéis!

Pararon la furgoneta en el arcén y el coche patrulla de la Guardia Civil se detuvo delante de ellos.

—¡Joder, Guille! —dijo Tristán.

—¿Joder, yo? ¡Joder, tú!

El agente de Tráfico se acercó.

—¡Buenos días! —dijo asomado por la ventanilla de Tristán—. ¿Algún problema con la ruta, chicos?

Los tres se quedaron sin responder.

—¿Adónde vais?

Al unísono nombraron Benidorm y Cádiz, y entendieron que el agente se mosqueara aún más.

—¿Me enseña el carné de conducir? Y la documentación del vehículo, por favor.

Tristán sacó la cartera, le tendió el carné y rebuscó los papeles de la furgoneta en la guantera. El agente se fue al coche patrulla y habló con su compañero. Volvió con un aparato entre las manos.

—Como me hagan soplar…

—Ayer no bebiste mucho —le animó Luis—, seguro que no das.

El agente le mostró el alcoholímetro y le pidió a Tristán que soplara. Este acercó sus morros a la boquilla.

—Mira qué bien se te da —dijo Guille en voz baja.

Tristán le dirigió una mirada asesina.

El agente consultó el medidor.

—0,05 —dijo serio—. Anoche os tomasteis algo, ¿verdad?

—Bueno —dijo Tristán con una sonrisa humilde—, no mucho.

—Andad con cuidado, chicos. ¡Buen viaje!

Cuando el coche patrulla les indicó que podían incorporarse a la calzada, respiraron aliviados.

—Bueno, ya podemos seguir la ruta —dijo Luis.

—Hacia Benidorm —dijo Guille.

Tristán arrancó la furgoneta, metió la marcha atrás y empezó a retroceder muy despacio.

—Tristán, no, sigue por el desvío.

—Estoy cogiendo carrerilla —respondió Tristán con una sonrisa.

—En serio, Tristán —dijo Luis—, casi nos multan.

Pero su amigo siguió retrocediendo cada vez a más velocidad, hasta que pudo salirse del ramal que conectaba con la carretera a Benidorm.

—No lo hagas —dijo Guille.

—No lo vas a hacer —dijo Luis.

Tristán miró por el retrovisor y aceleró a tope. Las ruedas pasaron por encima de la línea continua rompiendo los pivotes. Volvían a estar en la autopista, ahora rumbo al sur.

—Las playas son más bonitas ahí, ¿no? —dijo sonriente.

—La verdad es que sí —dijo Luis enseñando unas fotos en el móvil.

Guille levantó la mano y renunció a mirarlas señalando que no iba a hablar.

—Y, además —dijo Tristán—, según Raffaella: «Para hacer bien el amor hay que venir al sur...».

Seis días más tarde

—Le he matado —dijo con la voz temblorosa.

—Pero... —Luis se acercó.

3

La tía Pepa

$\mathcal{D}$espués de una hora prácticamente en silencio, se plantearon cuál era el objetivo de perseguir a su antiguo jefe.

—Antes de hacer nada, lo mejor es que hable con mi padre —dijo Tristán—. No le contaré que le estamos siguiendo, evidentemente, pero necesito que me aclare un poco lo que pasó.

—La argentina me dijo que iban a estar un par de semanas ahí en la playa —recordó Guille—. Lo digo porque tenemos tiempo. ¿O quieres llegar ya, ahora, hoy?

—Sinceramente, creo que no hace falta correr —intervino Luis—. El pueblo es El Palmar. Nos quedan unas ocho horas todavía, podemos llegar mañana y así buscamos dónde quedarnos, ver un poco...

—Eso es Atlántico ya, ¿verdad? —preguntó Guille.

—Sí —dijo Tristán—, cambiamos el tranquilo y caliente mar Mediterráneo por el frío océano Atlántico.

—Además de verdad. Yo buscaría un sitio a medio camino para pasar la noche.

Luis se asomó desde el asiento trasero.

—Yo tengo una tía en Granada. Nos pilla de camino. A lo mejor podemos hacer noche allí. Vive en un pueblo precioso.

—¿Y nos podremos quedar? —preguntó Tristán.

—Tiene una casa enorme. Si está, nos acoge encantada. Tiene como cinco o seis habitaciones y un jardín inmenso. Cuando era pequeño, íbamos toda la familia y, a veces, éramos hasta quince ahí metidos... Así que tres personas... caben.

Pasaron las horas hablando, echando cabezadas, riéndose de sus anécdotas, jugando a las adivinanzas con lo que veían por las ventanillas, paraban, comían, tomaban algo, ponían música, cantaban, quitaban el aire acondicionado, lo volvían a poner, lo subían, lo bajaban, lo apagaban…

—La próxima vez recordadme que no me ponga un bañador para conducir —dijo Tristán con la mano en la ingle.

Llevaba uno azul, con dibujos de sandías de un rojo muy vivo, y unas zapatillas blancas, sin calcetines. Sus largas piernas, de vello claro, le llegaban bien a los pedales. Cambió de marcha y volvió a ajustarse el bañador.

—Se me pega toda la rejilla y voy a acabar escocido.

—Vale, pero ahora no hace falta que te toques —respondió Guille—. Me acuerdo una vez, estuve con uno, me llevó en su coche y nos fuimos a unos almacenes bastante apartados. En teoría, no nos veía nadie, y tampoco teníamos mucho tiempo. Él conducía y yo no podía evitar ir mirando lo que tenía entre una pierna y la otra…, ahí se intuía algo que…, madre mía… Además, cada vez que giraba, recorría todo el volante con su mano y yo me ponía… burro burro. Me sentía como los perros que tienen la comida delante, que están salivando, pero que los obligan a esperar… Pues a la que aparcó, fue como cuando por fin les dicen *eat!* —se rieron todos—, y me amorré ahí abajo como si llevara una vida sin comer. Durante un rato, eso fue pura fantasía. Pero de repente, oímos unas voces, y para que no levantara la cabeza, el tío me la empujaba hacia abajo. —Puso cara de sufrimiento—. Empecé a ahogarme, el tío no me quitaba la mano de encima, intenté respirar por la nariz, no podía, quería gritar y tampoco podía, me salía la lágrima… Al final, me daba igual la gente, me daba igual él y todo el mundo, no podía respirar, mi vida corría peligro. Cogí, le pellizqué un huevo tan fuerte que soltó la mano de golpe, y del impulso le di con la cabeza en toda la barbilla. —Guille se tapaba la boca como si sintiera el dolor—. Se clavó el diente en el labio…, el tío sangrando… Evidentemente, los que estaban pasando por ahí nos vieron, pero pasaron de largo… Creí que me moría… ¿Os imagináis, el titular?: Chico de veintitrés años muere ahogado por una polla de veinte centímetros, ¡jajaja! Ahora me río… pero en su momento creía que me moría.

Seguían hablando mientras iban mirando por la ventanilla. La autovía estaba rodeada de campos, el marrón de la

tierra predominaba en el árido paisaje. El cielo estaba totalmente despejado, solo algunas nubes altas se podían ver a lo
lejos. Hacía calor.

Guille parecía el más inquieto.

—Tristán, estás muy calladito.

—Intento no dormirme…, es que vaya carretera.

—Cuéntanos algo, que solo hablo yo, ¿cuál es el último tío
con el que te has liado?

—Uff…, que sea interesante…, ni me acuerdo ya.

—No seas soso, yo qué sé… Pues alguna situación morbosa, un tío así raro, el peor polvo de tu vida… ¡Algo!

—Me encanta tener amigos con los que tratar temas tan
profundos —dijo Luis desde el asiento trasero—, pero tiene
razón. Tristán, cuéntanos.

Tristán sonrió con complicidad, como si sus labios dibuja-
ran ya el inicio del relato. Los tenía carnosos, siempre haciendo
alguna mueca. Su piel fina y suave, en su cara imberbe, le daba
un aire juvenil.

—Pues hubo una vez en la que el corazón casi me explota. 37
Recuerdo que me temblaban hasta los párpados. Fue… —bajó
una ceja—, cuando cumplí los dieciocho, justo antes del verano
en El Cucurucho.

Luis asomó la cabeza entre los asientos con una sonrisa.
Guille bajó el volumen de la música.

—Pues celebré mi cumple con mis amigos del instituto,
salimos por ahí, fuimos a cenar a una pizzería, seríamos nueve o diez… Me regalaron una corona de princesa que ponía
Happy Birthday, de esas plateadas. Luego fuimos a tomar
algo y, cuando la mitad se fue, acabamos en una discoteca…
Total… Todo muy bien, bailando, bebiendo, perdimos a uno,
luego al otro, después nos encontramos, luego nos perdimos
todos otra vez… Y, casi al final de la noche, hacia las cinco o
así de la mañana, cuando ya pensaba en irme para mi casa…,
conocí a un chico.

Tanto Luis como Guille iban añadiendo comentarios, risas
y bromas a su relato.

—Pues el tío tenía veinticuatro años —continuó—. A mí
me parecía alguien mayor, en el buen sentido, tenía su carrera de Farmacia, había estado de Erasmus en Gante, empezaba

a trabajar... En ese momento me pareció lo más. Era morenito, muy mono. Pues... nos empezamos a liar... y, como era tarde, no tomamos nada más, nos fuimos para su casa. Cuando llegamos, que vivía bastante cerca, la verdad, estuvimos en su salón un rato. Bebimos agua, me hizo un bikini, aún lo recuerdo, estaba... brutal, era de mortadela, en vez de jamón dulce..., ¡probadlo! Mortadela y queso fundido. —Se mordía los labios.

—¿Eso fue lo morboso? —preguntó Luis—, ¿el puto bikini? Tristán notó que Guille escuchaba un tanto perplejo.

—Estuvimos hablando un rato, devorando... Y llega su compañero de piso. Apareció un chaval que tendría mi edad, la verdad es que me pareció monísimo también, un poco más rubio, buen cuerpo y también venía de fiesta. Era mi cumpleaños, había cumplido dieciocho, ¡era mayor de edad!, tenía el guapo subido, y no solamente el guapo, no sé si la mortadela es afrodisíaca, que no lo creo, pero entre uno y el otro... Me empecé a liar con el farmacéutico, sin dejar de mirar al otro.

»Al poco rato, nos fuimos a la habitación, y yo le hice un gesto al compañero con los ojos. Intencionadamente, dejé la puerta entreabierta, esperando que el rubio se acercara y se viniera con nosotros. Oí cómo se iba a duchar y pensé... seguro que viene. Seguía liándome con el farmacéutico, ya no quedaba ropa que quitarnos. Empezamos a darle caña y, la verdad, es que fuimos bastante escandalosos... Cuando de repente, por fin, el chico asomó la cabeza. El farmacéutico le miró, y pareció que le iba a echar, pero le paré con la mano.

»Veía a aquel chaval a contraluz, pero bajo el marco de la puerta se distinguía perfectamente una silueta medio oscura, primero su cara, luego ya todo el cuerpo. Llevaba la toalla a la cintura, el torso lo tenía desnudo... Al principio solamente miraba, fue un poco raro, pero poco a poco, de los dobladillos de la toalla empezó a sobresalir uno que cada vez iba cogiendo más volumen. El chico empezó a soltarse la toalla...

»Yo no podía más, estaba a punto de explotar... Si me tocaba, estallaba. Al final, el chico empezó a acariciarse y ahí ya sí que no me pude contener. Me retumbaba hasta la cabeza, y ahí fue cuando tuve uno de los mayores orgasmos de mi vida, pegué un grito que se pudo oír hasta en la calle, seguro..., su-

perexagerado, empapé la sábana. —Se rio de sí mismo—. Eso
sí, cuando abrí los ojos, porque en ese momento casi me des-
mayo, el chico rubio ya no estaba. Lo gracioso fue que…
—¡Frena, frena! —gritó Guille de repente.
—¿Qué pasa? —se asustó Tristán bajando la velocidad.
—¡Para, para, para, para! —insistió—. ¿Lo habéis visto?
Hay un tío haciendo autostop.
—No no no —se sobresaltó Tristán—, no vamos a llevar a
nadie.
—Es que además ponía Cádiz. —Le cogió el volante—.
¡Para para!
—Vale, pero ¡deja de tocar el puto volante!
Tristán giró bruscamente y se retiró al arcén.
—Ahora que vas a ser pobre —dijo Luis—, vas a tener que
ser más solidario con la gente…
—Eso es verdad —dijo Guille—, te estará bien una cura de
humildad.
Tristán paró la furgoneta lejos del autoestopista, a unos
trescientos metros. El autoestopista cogió la bolsa y se acercó 39
con rapidez. Desde lejos se distinguía un hombre de pelo largo,
despeinado, ropa más bien desaliñada y con un cartón escrito a
boli. A medida que se iba acercando, su aspecto era más bien
joven, una mirada despejada y una bonita sonrisa.
Les contó que se llamaba Tim, era suizo y se dirigía a Cádiz
a impartir unos cursos de yoga. Que en toda la mañana nadie
había parado para llevarle. Tenía unos ojos verde claro, una
voz dulce, más bien aguda y de cuerpo era especialmente delgado.
—Pues hablas muy bien español para ser suizo —dijo Luis,
que se puso como copiloto.
Guille quiso compartir el asiento trasero con el nuevo.
—Llevo desde hace diez años en España, de trabajo en ani-
mación turística —respondió con un leve acento extranjero.
—¿Y dónde? —preguntó Tristán.
—En un hotel de Benidorm.
Los tres rompieron a reír.
—¿Qué pasa?
—Una larga historia —respondió Guille.
Luis les informó de que su tía Pepa estaba encantada de

recibirlos y que se podían quedar todas las noches que quisieran. Recordó el nombre del pueblo, Montefrío, y calculó que en un par de horas llegarían.

—¿Y sois amigos, familia, pareja? —preguntó Tim sin timidez.

—Somos una *trieja* —dijo Luis.

—¡Ah, bien! —respondió Tim.

—No no..., somos amigos —aclaró Guille.

—Hace siete años estuvimos trabajando en una heladería —dijo Tristán—. Se llamaba El Cucurucho.

—La mejor dieta —añadió Guille.

—Una heladería que abrió mi padre y, como necesitaba gente para trabajar, los avisé a ellos. Yo conocía a Guille.

—¿Ah, sí? ¿De qué os conocíais?

—Bueno, la verdad, pues de habernos liado una vez... —respondió Tristán sonriente.

—Y yo conocía a Luis —dijo Guille—, habíamos coincidido en una fiesta de un amigo.

40

—¿Ah, sí? —repitió Tim.

—Estuvimos un mes saliendo —apuntó Luis.

—Es verdad —afirmó Guille con cara de inocente—. Hasta que una noche te fuiste con uno, en mi cara, sin despedirte, y ahí entendí que se había acabado.

—Es que los dos teníamos dieciocho, eras muy niño para mí, y me vino aquel hombre de treinta... —Luis puso cara de santo y voz angelical—, y no lo pude evitar.

—¿Y vosotros dos? —preguntó Tim señalando a Tristán y a Luis.

Guille alzó la voz:

—¡También, también! El primer día que trabajamos juntos, yo los presenté, se estuvieron mirando todo el rato. Salimos de fiesta y... ¡tra-trá! ¡Triángulo cerrado! —concluyó Guille—. Entonces empezó nuestra verdadera amistad.

—Sí, al día siguiente, por la mañana, yo llegaba tarde al Cucurucho —explicó Luis—, Guille también se había dormido. Cuando llegó nuestro jefe, Tristán le dijo que estábamos uno limpiando el baño y el otro en la cámara buscando helados, para que no se cabreara. Entonces creó el grupo, para avisarnos de cuándo podíamos entrar y que no nos viera.

—No sabía qué nombre poner y dije: Las Heladeras —dijo Tristán—. Y hasta hoy.

Le explicaron a Tim las anécdotas de aquel verano. Los chicos que conocieron, lo poco que durmieron...

—Escucha, Tim —dijo Guille—, te voy a decir cómo era nuestra carta de helados, que aún me acuerdo: helado de vainilla, *pa'l* que no pilla, y el de pistacho, *pa* pillar cacho. El de café, *pa* no perder la fe. —El suizo se reía aunque no parecía entenderlo todo—. El de galleta, *pa* que te la meta, y el de menta, por si no te entra. El de avellana, *pa* quien me dé la gana, y el de limón, ¡*pa* que follemos un montón!

Guille lloraba de risa, Luis también reía a carcajadas y Tristán tuvo que reducir la velocidad.

Mientras se iban acercando a su destino, el paisaje era cada vez más montañoso, abundaba la vegetación, se veían pueblos de casas blancas extendidas tanto por los valles como encaramadas sobre algunas colinas. Montefrío era de los que escalaban una de aquellas pequeñas montañas, casi hasta la cima, con cientos de casas blancas apiñadas una sobre otra.

Era pleno atardecer. El cielo iba mudando de color, del azul celeste del día dando paso a la oscuridad de la noche. A un lado, ya podían distinguir las primeras estrellas; en el otro, el sol ya se ponía: con sus últimos rayos, fundía Montefrío en colores dorados, anaranjados y rojizos.

Con la ayuda del GPS llegaron a la casa de la tía Pepa. Una gran verja de metal daba paso a un jardín amplio. Admiraron los altos cipreses, el césped un poco descuidado y una piscina vacía. En medio del jardín, una mesa y sillas de plástico.

La casa era grande, de dos plantas, se veía antigua, un poco dejada. Un pequeño escalón separaba el césped de la verja. Había algunas plantas y platos de cerámica de adorno. La puerta se abrió ruidosamente y salió la tía de Luis.

—¡Bienvenidos, chicos! —Les recibió abriendo los brazos mientras se acercaba a ellos.

Al contar que eran cuatro, en vez de tres, se sorprendió.

—¡Pepa! ¡Cuánto tiempo! —dijo Luis abrazándola y dándole un beso—. Ellos son Tristán y Guille, mis amigos, y Tim... —titubeó unos segundos hasta que confesó—: No te voy a engañar, estaba haciendo autostop, pero tiene pinta de buena persona.

41

—Dudo que seas peor que mucha de la gente que ha pasado por esta casa. —Le guiñó un ojo a Tim—. No llevas armas, ¿verdad?

Tim se quedó sorprendido, negando con la cabeza.

—Y aunque la llevaras…, ¡mientras no me dispares a mí! —bromeó Pepa—. Venga, pasad, que he preparado cena.

Entraron al salón y la mesa estaba puesta. Sobre un mantel blanco con dibujos de flores y mariposas, los esperaba su banquete. En medio de la mesa, una fuente de ensalada de tomate y ajo, con aceite extra virgen y orégano, que desprendía un fresco olor. A los lados, ensaladilla rusa y tortilla de patata, aún templada. Además, un plato lleno de filetes de pollo y otro con queso cortado en lonchas, y los huecos que dejaban estaban ocupados por pequeños boles con olivas y frutos secos. Enmarcando aquella mesa, cuatro platos, con cubierto y servilleta, a los que Pepa añadió un servicio más.

—Yo sabía que Luis era maricón desde que era un niño —comentó mientras les llenaba los vasos con cerveza fría.

42

—Tita… —dijo Luis con la boca llena.

—¡Es verdad! Cómo me miraba, con ese cariño, cómo sonreía, esa dulzura… ¡Qué suerte tuvo mi hermana!

—¿Tiene hijos usted? —preguntó Guille.

—Yo no —dijo como si le horrorizara la idea—. Y contadme, ¿adónde vais? ¡Qué bien que estéis por aquí!

—Es una larga historia… —dijo Tristán.

Entre todos le contaron que se iban a ir de vacaciones los tres juntos a Benidorm y que esa misma mañana había habido un cambio de planes. Poco a poco le fueron dando más detalles hasta que le explicaron prácticamente todo lo que sabían sobre la mala jugada de Olegario al padre de Tristán.

—¿Y de qué es la empresa del socio? —preguntó Pepa interesada.

Tim escuchaba atónito aquella conversación.

—Cuando la busqué, vi que era una inmobiliaria —dijo Luis—. En la web promocionan casas de alquiler y de compra, algunas de lujo, otras más normales…

—¿Y cómo habéis dicho que se llama?

—Villas Palmar —dijo Tristán—, no se rompieron mucho la cabeza. A ver, yo sé que mi padre tenía algo de pisos de alquiler con Olegario. —La tía Pepa se había quedado pensativa, no parecía que siguiera prestando mucha atención—. También sé que con el tiempo empezaron a abrir nuevos negocios... Pero mis padres tampoco me lo contaban todo, ni yo les preguntaba, la verdad.

—Espera un momento —le cortó Pepa—. Luis, ¿puedes buscar noticias sobre Villas Palmar? Es que justo estas últimas semanas ha habido polémica con unas construcciones, ahí por esa zona.

—¿Ah, sí? —preguntó Guille.

—¿Ah, sí?, ¿ah, sí? —le imitó Pepa—. ¿Es que no veis las noticias? —Le tiró una servilleta a Guille a la cara—. Luis, ¿qué encuentras?

Luis puso cara de sorprendido. Mientras deslizaba el dedo iba leyendo en voz alta algunos titulares:

—«Protesta por presuntas construcciones ilegales en El Palmar.» «Se paraliza el proyecto de Apartamentos El Faro por irregularidades.» «Construcción en terreno protegido...» —Luis levantó la mirada cautelosamente—. Tristán...

Él también había buscado noticias y las estaba leyendo aterrado.

—Pero esto no puede ser... «Implicados en la venta de pisos en El Palmar.» «Juicio por Apartamentos El Faro pospuesto a septiembre...» —Tristán miró atónito a todos los comensales, que estaban completamente en silencio—. ¿Precisamente en septiembre? Es justo cuando el juicio de mi padre...

—¿Y si el lío en el que Olegario le ha metido... —dijo Luis— va más allá?

Siguieron leyendo noticias relacionadas con el escándalo.

—Por lo visto —explicó Pepa—, en septiembre empiezan las obras al lado del faro donde harán unas cien casas. A pesar de ser terreno protegido, el Ayuntamiento ha concedido unos permisos y sí se van a poder llevar a cabo.

—Pero ¿si es ilegal? —digo Guille.

—Sí, pero los permisos están concedidos, hay que ir a juicio para demostrar que ha habido corrupción en la adjudicación, y para cuando haya sentencia, ya se habrá construido y vendido todo.

Tristán seguía leyendo.

43

—Todo apunta a la promotora DLS —dijo aún sin salir de su asombro.

—Sí, es el único nombre que se repite —observó Luis—: DLS. Pero no tienen ni web ni nada, será una de esas empresas fantasma.

—Pero eso tiene algo que ver con tu familia, ¿Tristán?

Él negó convencido. Siguieron buscando noticias pero ninguna hablaba con claridad ni daba datos significativos. La prensa y los movimientos que se oponían a la construcción en ese paraje virgen estaban de acuerdo en señalar a DLS como la promotora que había conseguido, de forma irregular, los permisos para edificar sobre aquellos terrenos protegidos.

Estuvieron hablando del tema hasta el final de la cena.

—Mañana llamaré a mi padre —dijo Tristán—, y que me ponga al día.

Empezaron a apilar los platos.

—Chicos —alzó la voz Pepa—, ¿habéis cenado bien?

Agradecieron la cena y entre todos ayudaron a recoger la mesa y a fregar. No se entretuvieron mucho más y al poco rato la tía Pepa los llevaba a sus habitaciones.

A su sobrino Luis le adjudicó la misma en la que dormía cuando era más pequeño. En esta ocasión, la compartiría con Tristán.

—Recuerdo cuando miraba por esta ventana y me preguntaba cómo sería yo de mayor, de qué trabajaría, qué cara tendría, si seguiría viniendo a esta casa… Y aquí, unos cuantos años después, apoyado en el mismo cabezal, dando las buenas noches a Mario. Y a ti —dijo dándole un beso en la mejilla.

Por aquella ventana entraba cierto frescor, incluso un poco de frío. Los dos chicos, cada uno en su cama individual, se taparon con la fina manta. Tristán seguía buscando noticias en el móvil. Había muchas suposiciones, información dispersa, casos aislados… Empezó a escribirle un mensaje a su padre preguntándole sobre el tema, pero lo borró antes de enviarlo.

A menos de un metro, separados por una gruesa pared, Guille estaba estirado en el centro de una cama de matrimonio, sobre la colcha. No dormía, no miraba el móvil, miraba el techo, hipnotizado por las aspas de un ventilador que justo se estaba parando. Tim estaba en el baño, en la puerta de enfren-

44

te. Guille intentaba descifrar todos sus movimientos a partir de los ruidos que le llegaban por el pasillo. Oyó la ducha durante un buen rato, abría el grifo unos segundos y después lo cerraba, se enjabonaría cuerpo y después cabello. Volvía a abrir el agua, para el aclarado, seguramente. Tras el cierre definitivo del grifo, oyó cómo dejaba la alcachofa colocada en su sitio y cómo se secaba. Podía percibir el leve raspar de la toalla. Esa pared era fina, en el baño resonaba todo, en la casa había un silencio absoluto. Enseguida sonaron unas tijeras abriéndose y cerrándose, que solo podían estar cortando la melena de Tim; por lo opaco que le parecía el sonido metálico, daba la impresión de que el corte estaba siendo considerable, rematado con unos pequeños tajos que sonaban más agudos.

Guille esperaba. Se metió en la cama sin camiseta, dejando a la vista su cuerpo musculoso. Solo llevaba el bóxer puesto. Se cubrió con la sábana hasta los muslos.

Tras el supuesto corte de pelo, Guille oyó el pequeño motor de una maquinilla de afeitar, lo que le provocó un fuerte resoplido. Siguió esperando impaciente mientras Tim se cepillaba los dientes durante unos cinco largos minutos. Guille empezaba a tener frío, se le erizaba la piel y se la frotaba con las manos, se iba recolocando. Por fin oyó cómo se enjuagaba la boca y, según interpretó, cómo recogía todo lo que había estado usando. Por fin el suizo salió del baño y apagó la luz dejando el pasillo a oscuras. Guille siguió atento sus pasos, hasta que entró a la habitación y cerró la puerta.

4

Sí, quiero

*P*or la mañana, la tía Pepa, Luis y Tristán estaban desayunando en la mesa blanca, cubierta por la sombra de la higuera. Eran las once de la mañana y el sol prometía apretar fuerte. Guille salió al jardín.

—¡Buenos días, señor! —dijo Pepa.

—Buenos días... —contestó con la voz ronca, los ojos casi sin abrir, el pelo aplastado de un lado y la marca de la sábana en la mejilla.

—¿Quieres tostadas y café? —le preguntó ella con cara de burla.

—Sí, quiero —respondió Guille sonriendo—, muchas gracias.

Pepa entró en la cocina. Tristán y Luis se le quedaron mirando con una sonrisa interrogativa.

—¿Se nos oyó mucho? —preguntó.

—Estábamos pared con pared... —dijo Luis.

—¿Sabéis de esos delgados que... de repente...? —La tía de Luis llegó con el termo de café y un plato con tostadas—. Pero, Pepa, no hacía falta, ya iba yo a por ellas.

—Ya te veo —respondió—, y ¿cómo ibas a ir?, ¿sentado?

En la mesa había aceite, tomate rallado y lonchas de jamón. Guille se preparó su desayuno.

—¿Dónde tienes al delincuente? —bromeó Pepa.

—Aún estaba durmiendo —dijo Guille—, y al final he de decir que sí que iba armado.

Se rieron los cuatro.

Estuvieron hablando sobre cómo habían pasado la noche

cada uno, la temperatura, el silencio, las paredes. Parecían descansados. Ya había desaparecido el punzante frío de primera hora de la mañana, la humedad se iba secando, se fueron quitando algún jersey que llevaban puesto.

—¿Cuánto hay de aquí a El Palmar? —le preguntó Tristán a Luis.

—Unas tres horas.

—No tenéis ninguna prisa —dijo Pepa—, desayunad tranquilos, que también estáis de vacaciones.

Se sirvió un vaso de agua y se quedó mirando a su sobrino. Luis tenía una cara morena, fina, alargada, con su pelo negro y ondulado. Hablaba siempre con una expresión seria, aunque lo que contara fuera algo gracioso. Pepa se acomodó en su silla y se limpió la barbilla con una servilleta.

—Y tú, ¿no tienes nada que contarme?

—¿Yo? —se sorprendió Luis.

—Sí, tú —insistió su tía—, ¿tú no te casas?

—¿Cómo lo sabes?

—Porque yo hablo muchas veces con tu hermana. Y Mario se lo cuenta todo a tu hermana.

—Pues sí —dijo rebañando el aceite—, porque a él le hace ilusión casarse. Pero firmaremos y ya está, ni boda ni nada.

—Ah, ¿que no hay boda? Pues díselo a tu prometido, porque él sí que está preparando algo grande.

—¿Cómo?

—A ver, niñato. —Su tía echó el cuerpo para adelante—. Que a Mario no le hace ilusión casarse. A Mario lo que le hace ilusión es casarse contigo —dijo señalándole con el dedo—. Y lo que quiere es decirle a todo el mundo, a su familia, a la tuya y a sus amigos que os queréis y que lo queréis celebrar todos juntos.

—¡Di que sí! —reaccionó Guille aplaudiendo.

Luis miraba al suelo, la tía Pepa seguía entusiasmada:

—¿Os ha contado cómo fue la pedida de mano?

—Tita, no… —Se ruborizó.

—¡Es verdad! —dijo Tristán—, no nos has contado nada…

—No fue nada del otro mundo.

—¡Que no, dice! —se indignó ella.

A Luis se le puso una sonrisa tímida, le entraba la risa.

—Bueno —reaccionó—, la verdad es que sí que fue bonito.

En ese momento Tim apareció en el jardín; llevaba el pelo corto y la barba afeitada. Su cara despejada le daba un aire menos rebelde que el día anterior. Llevaba puesto un pantalón corto y la camiseta de tirantes de Guille, que le iba especialmente ancha.

—Buenos días —dijo mientras se acercaba a la mesa dándole un fuerte beso a Guille.

—Llegas justo a tiempo —dijo Tristán—, Luis nos va a contar cómo le pidieron matrimonio.

—¿Vas a *te* casar? —preguntó Tim, sorprendido, con su acento peculiar—. ¡Viva los novios!

Luis le chocó una mano.

—Que te despistas —le dijo la tía Pepa.

—Bueeeeno, os lo cueeento.

—¡Bien! —aplaudió Guille.

A Luis se le escapaba la risa, se incorporó en la silla dispuesto a compartir el momento.

—Fue en un parque de atracciones, en Los Ángeles. A ver —miró a Tim—, Mario y yo somos unos frikis de los parques de atracciones. Mario es mi novio. Nos conocimos hace unos seis años. Yo empecé a trabajar en Flying, él era piloto y…

—Son Mario y Luigi —apuntó Guille—, como el videojuego, *you know*?

Tim asintió mientras se preparaba una infusión en un vaso de cristal.

—Pues eso, él es piloto de avión y yo azafato de vuelo. Bueno, ya soy sobrecargo —dijo levantando hacia su tía los dos dedos de victoria—. Total, que hemos viajado mucho por todo el mundo, parando en cada ciudad, pocos días, pero bueno. Yo siempre que he podido he aprovechado, ya tuviera un día, o dos o incluso una mañana libre, para ir a todos los parques de atracciones posibles. A mí me flipaban desde niño y le aficioné a él.

Su tía asentía a cada frase. Guille dio un mordisco a su tostada.

—Un día estábamos en Los Ángeles, en el Six Flags, que es mi parque favorito, de todos los que conozco es el que más me gusta. Yo veía que él estaba un poco raro aquel día, pero no sé, el cambio de hora, a lo mejor estaba cansado, vamos, que no se me pasó por la cabeza en ningún momento que me fuera a pedir matrimonio. Subimos a mi atracción favorita, el Apocalypse. Una montaña rusa en la que haces *loopings*, de repente vas hacia atrás, luego hacia adelante, luego te pone del revés…, una pasada. Total, nos montamos. Todo bien, gritando al subir, chillando al bajar… Como locos, todo muy normal. Y al bajarnos de la atracción, Mario me dijo que iba a buscar la foto que nos habían hecho. Eso ya se me hizo muy raro… porque hacía tiempo que habíamos dejado de comprar esas fotos, me extrañaba que de repente quisiera una, pero bueno…

Luis tomó un poco de zumo que le quedaba en el vaso y acercó la silla a la mesa.

—Me dio la foto, en un sobre cerrado, y me dijo muy serio: «Soy muy feliz contigo».

—¡Oooooh! —exclamaron todos a la vez.

—Y cuando desplegué el cartón, salíamos los dos ahí en el vagón del Apocalypse: yo tenía las manos levantadas y gritaba mirando hacia un lado, pero él, como si fuera Clark Kent a punto de transformarse en Superman, se estaba abriendo la chaqueta con las manos, sonriendo a cámara y mostrando lo que llevaba escrito en la camiseta. En el pecho, en letras enormes, ponía: «¿QUIERES CASARTE CONMIGO?».

—¡Aaaaaah! —gritaron y aplaudieron todos.

A Pepa se le caía una lágrima.

—Mirad la foto. —Mostró su móvil entusiasmada.

—¿Cómo tienes esa foto?

Su tía no respondió.

—Entonces —continuó Luis—, se arrodilló. Alrededor de nosotros se formó un corro que yo me moría de vergüenza. Sacó el anillo que llevaba en el bolsillo y me dijo: «Te quiero, y quiero que sigamos juntos el resto de nuestra vida». —Luis puso una voz muy dulce—. Yo acepté, claro, dije: «Sí, quiero». Y la gente aplaudiendo. Parecía eso una peli. Nos besamos, nos abrazamos, saludamos como si fuéramos los príncipes de un cuento y… —puso un tono normal de voz— nos fuimos a comer un *hot dog*.

Los chicos aplaudieron, la tía Pepa lloraba a moco tendido. Tristán se levantó y abrazó a su amigo con fuerza.

—Entonces…, si hay boda, ¡hay despedida!

Luis negó con la cabeza, mientras Tristán y Guille se hacían señales cómplices.

Acabaron de desayunar y se pusieron a recoger la mesa. Mientras Tristán cargaba con unos platos en la mano, recibió un mensaje en el móvil, que llevaba metido en la goma del bañador, pegado a la cintura. Sujetó los platos con una mano y lo leyó.

> PAPÁ. Llámame si tienes un momento. Hay algo que queremos contarte.
>
> TRISTÁN. Todo bien? Te llamo en un rato. Beso.

—¡Pepa! —gritó el vecino de al lado asomando la cabeza por la reja—, ¡veo que tienes visita!

—¿Has visto? —respondió ella—, mi sobrino Luis, que ya es todo un hombre, y sus amigos.

—¡*Cago'en* diez! —exclamó—. ¿Este es el renacuajo? ¡Venid a bañaros a la piscina!

Pepa miró a los chicos como si les consultara. Todos se animaron y sin perder tiempo fueron a por bañadores y toallas. La tía, que, según dijo, aún no se había bañado, se animó también y se fue a poner un bañador.

Se dirigieron a la casa del vecino, todos menos Tristán, que no parecía moverse con los demás.

—Me ha dicho mi padre que le llame, ahora en un rato voy.

—¿Vas a contarle algo? —le preguntó Luis.

—No lo sé…

Tim no llevaba bañador en su equipaje y Pepa le prestó uno que le iba extremadamente grande; se ató el cordón de la cintura con una lazada gigante. Tristán se quedó sentado bajo la higuera.

Antonio y Carmen recibieron con alegría la videollamada de su hijo. Estaban sentados en el comedor y habían puesto el móvil reclinado en algo sobre la mesa, de fondo se veía la cocina.

—¿Dónde estás? —le preguntaron.

—No os lo vais a creer, en Granada.

51

—¿En Granada? ¿Os habéis equivocado de salida o cómo? —bromeó su madre.

—Mejor os lo cuento luego.

Estuvieron hablando del viaje, de cómo estaban las cosas en Barcelona, del calor de la ciudad, del frescor de la montaña…

—Os noto un poco raros. ¿Por qué querías hablar conmigo?

Tras varios rodeos, empezando uno, luego el otro, e interrumpiéndose cada vez, su madre le explicó:

—Verás, Tristán…, tu padre y yo…, para que esto no nos salpique demasiado a todos…

—¿Que nos salpique el qué?

—Ya sabes, todo el lío…

—No, no lo sé. No me habéis contado nada, en realidad no sé nada. Solo que nos vamos a la mierda.

—Tampoco hace falta saber más —dijo su padre.

—Verás —siguió su madre—, hemos decidido que lo mejor es que, por ahora, al menos de manera formal, empecemos a tramitar los papeles del divorcio.

Tristán se quedó mudo.

—Pero —retomó Antonio— lo hacemos únicamente por conservar algunos bienes y para que todo el lío nos afecte lo menos posible a todos como familia…

Tristán se enfureció. Se puso de pie y anduvo por el jardín sin rumbo mientras seguía hablando. El sol no le permitía ver bien la pantalla y se apoyó en una fachada de la casa que le daba sombra.

—¿Y si esperáis un poco…?, a lo mejor todo acaba saliendo bien…

—Es lo mejor, cariño —dijo su madre—, era algo que íbamos pensando y… cuanto antes lo hagamos, mejor.

Tristán movió el móvil para apartar su cara de la pantalla. En casa de sus padres sonó el timbre.

—Hijo —dijo su padre—, acaba de llegar el lampista…, perdónanos, luego, si quieres, a la noche te volvemos a llamar.

Antonio se levantó y su madre se quedó frente al móvil. Dirigía la mirada a su marido mientras se alejaba.

—Mamá —dijo Tristán con la voz entrecortada—, algo te pasa.

—Tristán, cariño... —dijo Carmen bajando la mirada—, yo no quiero engañarte.

—Contadme qué es lo que pasa...

—Tristán, tu padre y yo no estamos bien. Te lo contaré todo mejor cuando tengamos tiempo, pero... una vez nos separemos... —su madre miraba todo el rato hacia la puerta y se acercaba a la pantalla—, seguramente no querré volver con él.

—¡Pero, mamá! —dijo Tristán desesperado—, papá necesita todo nuestro apoyo.

—Lo sé, hijo, pero hace tiempo que no estamos bien, y esto..., esto lo está acabando de rematar. En cuanto todo esté más tranquilo lo hablaremos bien, pero necesitaba contártelo.

—Pero, mamá, ahora no es el momento. ¿Es que no lo ves?

El ruido de la puerta, abriéndose de nuevo, hizo girar la cabeza a Carmen.

—Hablamos tú y yo en otro momento —le dijo deprisa—, te quiero.

El padre se sentó a su lado de nuevo.

—Bueno —dijo—, ¿cómo es que estás en Granada? 53

Tristán titubeó.

—Luis tiene una tía aquí y... —Levantó las cejas, les enseñó el jardín a través del móvil—. Mira, que estamos improvisando, ya os contaré.

Antonio se despidió cabizbajo.

—Bueno, papis, vamos hablando.

Cortó la llamada. Se quedó unos minutos mirando al infinito con el móvil en la mano.

—¡Tristán! —gritó Guille desde la piscina. Tras la reja, con algunas enredaderas, se distinguía la piscina y a Guille en el agua mientras salpicaba hacia arriba como si lo quisiera mojar desde lejos.

—¡Ven!

—¡Ahora voy! —gritó Tristán con la voz entrecortada.

Se miró el bañador que llevaba puesto. Era un *slip* de color azul eléctrico, con rayas blancas.

Pasaron toda la mañana en la piscina. Al vecino prácticamente ni le vieron, se marchó, según dijo, a hacer unos *man-*

daos. Se bañaron, tomaron el sol, volvieron a bañarse, hicieron yoga con Tim, comieron olivas, tomaron el vermú...

A la hora de comer volvieron a su casa. Entre todos, prepararon un nuevo banquete en el jardín, acompañado por la música que iba poniendo Guille en el altavoz, las historias de aquella casa que contaba Pepa, los recuerdos de Luis...

Tras la comida, con el estómago lleno, se adormecieron un poco y les apeteció estirarse en el sofá un rato. Estuvieron mirando la distancia hasta El Palmar y decidieron, entre algunas dudas, retomar el viaje al día siguiente. La tía Pepa se alegró.

Algunos echaron una cabezadita, otros leyeron o vieron un poco de televisión. Al cabo de unas horas, el sol ya declinaba y Luis propuso a sus dos amigos ir a dar una vuelta por Montefrío.

—Mi tía se queda aquí, no quiere subir las cuestas —dijo.

—Tim tampoco viene —explicó Guille—, es un poco aburrido el tío. Y empalagoso, me cansa un poco, la verdad...

Callejearon sin rumbo por las estrechas calles de piedra de Montefrío. Las paredes blancas de las casas sujetaban tiestos de flores. El sol se estaba poniendo y se iba el calor. Encontraron un mirador, un parque y algún que otro bar, y acabaron enfrente de una heladería.

—Las Diez Bolas. —Se rio Guille leyendo el nombre del establecimiento—. A ver, es más original que El Cucurucho, las cosas como son.

Era un local pequeño cuyo interior se veía a través de un gran ventanal. En él había colgado un vinilo, de tamaño gigante, de un cucurucho con diez bolas de diez sabores diferentes puestas una encima de la otra. Cada bola añadida, marcaba un precio diferente.

—Pues esto lo podríais hacer en El Cucurucho —dijo Luis—, si no cerráis, claro.

Posaron al lado de aquella cristalera para hacerse unas cuantas fotos: con la lengua fuera como si lo estuvieran saboreando, poniéndose de puntillas, haciendo ellos de cucurucho con las bolas saliendo de su cabeza... Desde el interior, un chico joven, de unos veinte años, los miraba sonriente. No había ningún cliente en aquel momento.

—¿Qué van a querer los señores?

—¿Señores? —saltó Guille con cierta indignación—, pero ¿cuántos años te crees que tenemos?

—Más que yo, seguro —dijo el heladero con cierto sarcasmo—, aunque os conserváis muy bien.

Los tres chicos forzaron una sonrisa.

—¿Qué sabor me recomendarías? —preguntó Luis mirándole fijamente.

—Todos están bien —respondió impasible.

—Alguno tendrás diferente o que guste especialmente.

—Están todos buenos.

—Pero, hombre, tienes que vendernos los sabores, ¡y que nos vayamos de aquí con un helado de cinco bolas mínimo!

—Los sabores son los de toda la vida: vainilla, nata, fresa… —recitó sin mucho ánimo.

—Así no, así no… —le riñó Luis—. Tienes los clásicos de vainilla o nata, que son apuestas seguras; el de galletas, para probar matices nuevos. El de menta, un sabor que lo amas o lo odias, solo para los más atrevidos. —El chico sujetaba la galleta del cucurucho en una mano y en la otra tenía la cuchara—. El de chocolate amargo, para los amantes del auténtico cacao… O el que te voy a pedir yo, el de pistacho.

—Para pillar cacho —añadió Tristán.

—¿Pistacho, entonces?

El chico se dispuso a coger el helado como si batallara con un bloque de hielo, llenando la cuchara con mucha torpeza y poniendo la bola dentro de la galleta con cierta desgana. Los tres amigos le observaban con cara de terror.

Guille ladeaba la cabeza como si no pudiera ver aquella escena.

—¡Pero ¿quién te ha enseñado a ti?! —gritó y se metió detrás de la barra. Se lavó bien las manos, se las secó, le cogió la cuchara y tiró el helado que había en el cucurucho a la basura—. ¡Aprende!

El joven heladero, sin articular palabra pero con una sonrisa, observó atento cada movimiento.

—Introduces el porcionador, que así se llama esta cuchara, hasta la mitad —dijo a medida que lo hacía lentamente—, arrastras de derecha a izquierda como si fuera una ola para hacer surf —explicaba Guille haciendo sonidos con la boca—, y, cuando llegas al final, ¡tic!, un toquecito hacia arriba y tienes la bola perfectamente redonda para poner sobre el cucurucho. —Clavó una pequeña cucharita de madera en la bola de pistacho y se lo entregó a Luis—. Y con la mejor de tus sonrisas, se lo sirves al cliente.

La actitud de indiferencia del joven cambió completamente. Los siguientes dos helados los preparó concentrado y siguiendo las instrucciones de Guille.

No les quiso cobrar.

—Siempre se cobra —le dijo Tristán dándole un billete de diez euros.

El chico aceptó el billete y les devolvió el cambio. En la barra había un vaso grande de papel, con la palabra «Gracias» escrita a boli. Tristán cogió las monedas sobrantes y las lanzó con fuerza en el interior produciendo un fuerte ruido metálico. Los tres a la vez gritaron:

—¡¡¡¡Boooooooote!!!!

5

¡Por nosotros!

Al día siguiente, tras haber desayunado, abrazaron por turnos a la tía Pepa, le agradecieron con besos su hospitalidad y se pusieron en marcha.

Guille y Tim se sentaron detrás, se iban sonriendo y dando algunos mimos. Tristán se puso al volante y Luis al lado, controlando el GPS con su móvil.

Tras un camino estrecho con marcadas curvas, se incorporaron a la A92 dejando atrás el pueblo de Montefrío para seguir su camino hacia las costas de Cádiz.

—¿No os da la sensación de que llevamos un mes de viaje? —dijo Luis—, y solo llevamos tres días.

—Totalmente —dijo Tristán.

—He de reconocer que, para lo que soy yo de organizador, que me gusta tenerlo todo planificado al milímetro, estoy llevando muy bien este viaje improvisado, ¿eh? —dijo Luis levantando un dedo.

Luis era un chico alto y delgado, de pelo recio y moreno, prácticamente negro, duro y ondulado. Sus gafas resaltaban su mirada atenta y despierta.

—¿Tú eras el listo de tu clase? —dijo Tim desde el asiento trasero.

—No te diré que no… —respondió Luis—. De hecho, se reían de mí por ser delgado, por las gafas y por mi nariz enorme. Aunque esta nariz al final creo que me da hasta un toque atractivo.

—Lo que esa nariz ahora anuncia es que hay un gran tesoro en el interior —bromeó Guille.

—Y no defraudo —dijo riéndose.

Condujeron prácticamente sin parar, solamente para repostar. Así como el día anterior no pararon de hablar, durante aquel tercer día de viaje parecían más calmados. La música no dejaba de sonar. Tim y Guille se distraían con el paisaje, Tristán se concentraba en la carretera, Luis planificaba el viaje a través del móvil.

—Lo único que hay disponible en ese pueblo es un hotel llamado… El Calipo.

—¡Pero bueno! —gritó Tristán riéndose—. ¡Esto es una señal! ¿Es muy caro?

—No mucho…, una habitación entre tres saldrá bien.

Luis llamó varias veces pero no daba línea. Hizo una reserva a través de la web.

En el último tramo del viaje, Tristán y Luis se pusieron a comentar series que habían visto, lugares que habían visitado y algunas peculiaridades de la ruta que estaban haciendo. Guille y Tim iban cada uno en una ventanilla, más distantes.

Cuando entraron en la provincia de Cádiz, Tim les indicó cómo llegar al Puerto de Santa María, el pueblo donde iba a pasar las próximas semanas, y pararon para dejarle.

Luis y Tristán se despidieron de él sin salir de la furgoneta. Guille le acompañó a coger la maleta y se pasó los últimos minutos abrazado a él. Al rato, volvió con sus amigos.

—Ay, Guillermito… —dijo Luis—, que estás enchochadete… ¿Quieres quedarte con él?

—Sí, muy mono, la verdad —dijo mirándole por la ventanilla—. Aunque empezaba a estar un poco hasta *arribi* de su *yogui*, sus *infusionis* y todas sus *cosis…*

Siguiendo las instrucciones del GPS, bordearon la ciudad de Cádiz, viéndola desde lejos a su derecha. Condujeron por la Autovía de la Costa de la Luz durante poco más de una hora. Cogieron la salida a Conil de la Frontera. Tomaron unos caminos estrechos y asfaltados. En el horizonte se intuía el mar, aunque algunos desniveles no permitían verlo todavía. El paisaje era árido, seco. A cada lado de la carretera se veían terrenos con vacas extremadamente delgadas, de color marrón, que llamaron la atención de los chicos. También los campos de girasoles, siguiendo con disciplina al sol en todo su recorrido.

Al llegar a lo alto de una cuesta, pudieron ver por fin el mar, a la vez que se destapaban también las vistas de aquella zona. A la derecha, un inmenso pueblo de casas blancas, era Conil de la Frontera. Se extendía desde el interior de la colina hasta el borde del mar. Ahí daba comienzo una playa kilométrica, aparentemente desértica. El terreno virgen, sin edificar, presumía de tener tan solo algunas casas aisladas o pequeñas villas de difícil acceso. El cielo parecía incluso más grande, más azul. Los chicos miraban a un lado y a otro, haciendo fotos, sacando la mano por la ventanilla.

Siguiendo la playa, hacia la izquierda, se distinguía un pequeño cabo de arena. Podían ver, muy pequeño, un faro blanco, era el mismo que habían visto dibujado en la furgoneta de Olegario, el que salía en las noticias que habían leído, era el faro de Trafalgar. Los tres lo observaron en silencio, mirándose entre ellos y haciendo alguna mueca de canguelo.

—A lo mejor sí que me tendría que haber quedado tranquilamente con Tim, a pasar unos días de yoga y encontrando la paz que hay en mi interior… —dijo Guille.

Tras varios kilómetros y pasando por algunas rotondas, cogiéndolas a gritos como si se tratara de una atracción, se fueron acercando por el camino asfaltado al pueblo de El Palmar. Sin llegar a la playa, recorrieron con la furgoneta calles de arena hasta donde, según el GPS, estaba el hotel El Calipo.

Cuando llegaron al punto que les indicaba el mapa, se apearon y miraron alrededor. Totalmente desolados.

—¿Qué buscan? —les preguntó un hombre mayor que cargaba un carro de la compra.

—El Calipo, un hotel, ¿lo conoce? —le dijo Tristán.

El hombre se rio cabizbajo. Les señaló una casa bastante grande, vieja, destartalada, con las ventanas rotas y la madera raída. Tenía un jardín sin cuidar, cercado por una valla bajita y una puerta verde de madera. Las paredes estaban pintadas con grafitis. Parecía de todo, menos el hotel que habían visto en la web.

Se acercaron cautelosamente a la puerta de madera. Vieron un buzón en el que ponía en letra pequeña: «Hotel El Calipo».

—Querían convertir esto en un hotel de lujo, pero al final ese proyecto quedó en nada —dijo el hombre mientras retomaba su camino.

—Pues empezamos bien —se quejó Guille.

—Y en la web no hay ningún teléfono ni nada… —Luis buscaba en su móvil.

—Ya sé que tal vez no es el momento de decir esto pero… yo tengo mucha hambre —dijo Tristán—. Son las cuatro de la tarde, no hemos comido nada, es verano y hay una playa allá a cien metros que seguro que está llena de chiringuitos…

—Voto sí —dijo Guille.

—No puedo estar más de acuerdo —dijo Luis—, ¡vámonos!

Dejaron la furgoneta aparcada enfrente de El Calipo y se fueron andando hasta el paseo marítimo. Cuanto más se acercaban, más gente veían que iba a la playa. Parejas cargadas con sombrillas, neveras llenas de hielo, bolsas de tela con toallas, niños con juguetes… Vendían pareos de todo tipo de tamaños, formas y estampados, collares, gafas de sol… Había pequeñas tiendas, bares construidos en casas de madera… Vieron surfistas de todas las edades, desde los más veteranos, pasando por los jóvenes atléticos, hasta los más diminutos, con tablas pequeñas dirigiéndose a la escuela de surf.

—¿Habéis hecho surf alguna vez? —preguntó Tristán.

—No —respondieron ambos sonriendo inocentemente.

—Yo tampoco.

Guille se había quitado la camiseta, que llevaba colgada en el bañador, luciendo su todavía blanco pero fibrado torso. Tristán se había puesto, desde casa de la tía Pepa, una camisa de flores de manga corta y unos vaqueros cortos. Luis andaba con su camiseta blanca lisa.

Cualquiera que se cruzara con ellos podía suponer, por la imagen que daban, que eran tres amigos que iban a pasar unos días de vacaciones; por los tonos claros de su piel, se intuiría que acababan de llegar, y por la actitud curiosa y las miradas fisgonas a cada detalle, hasta se podría adivinar que era la primera vez que pisaban El Palmar.

Se metieron en un bar de madera, hamburguesería Miami.

—Tres cervezas, grandes, por favor —pidió Guille.

Estaban sentados en la terraza, las mesas y sillas eran también de madera. Tenían la playa a pocos metros y veían el mar.

—¿Seguro que las quieren grandes? —preguntó el camarero—. Se calientan muy rápido.

—Pues normales.

—Pero en cuanto nos las traigas —apuntó Guille—, ve preparando otras tres, ¡jajaja! Que estamos secas.

Cuando el camarero regresó con las tres cervezas, les tomó nota de la comida.

—Una hamburguesa de la casa, con picante, huevo y salsa barbacoa —eligió Guille.

—Hamburguesa de la casa —dijo Luis—, muy hecha.

—¡Ah! Yo la hamburguesa poco hecha —dijo Guille—, muy poco hecha, casi cruda; de hecho, si puede venir la vaca viva y que me dé un lametazo en toda la cara…

—Yo… —Tristán seguía consultando la carta—, una de la casa también, al punto.

Hecha la comanda, brindaron.

—Después de tres días, con sus tres noches, once horas de carretera y casi mil doscientos kilómetros —dijo Luis—, hemos llegado.

—¡Salud! —dijo Tristán levantando la copa.

—¡Por nosotros! —dijo Guille.

Y en cuanto chocaron las copas, se puso a revisar los perfiles de chicos que le aparecían en la aplicación del móvil.

—A ver, chicos, tenemos un problema bastante grave —dijo—. Según GuAPPe, solo hay cinco tíos que estén a menos de un kilómetro. Los siguientes están a siete o doce, y luego ya nos vamos a veinte, treinta o cincuenta kilómetros. —Y teatralizando, añadió—: ¿Dónde coño estamos?

—¿En serio? Pero si en Barcelona el último perfil que te aparece está a cien metros, como mucho —respondió Tristán riéndose.

—Totalmente, es que allí deberíamos medir las distancias en palmos.

—O inventar una nueva medida —dijo Luis—, así como los americanos miden en pies, nosotros podríamos medir las distancias en p…

—Aquí tenéis los cubiertos y las salsas —dijo, enérgico, el camarero—, y enseguida que estén os traigo las hamburguesas.

Le dieron las gracias y volvieron a brindar.

—En serio, el panorama es deprimente —comentó Guille—. Dile a Mario que aquí no le vas a poner los cuernos, que esté tranquilo.

—Vete a la mierda —dijo Luis.

—*Oh, mamma mia!* —gritó Guille escandaloso, que había vuelto a chequear la aplicación—. Pero ¡qué es esta maravilla del señor!

—A ver —dijeron curiosos los otros dos.

Guille les enseñó el perfil de un chico con la cabeza rapada, la barba rasurada pero perfectamente perfilada y una mirada marcada en unas fotos hechas en la playa, con un *slip* blanco.

—Uf, qué pereza —dijo Tristán—. Dile algo.

Guille no apartaba la vista del móvil.

—¡Tiene Instagram!

—Claro —dijo Tristán—, donde habrá aún más fotos en bañador…

—A ver… —Luis le robó el móvil—. Uy, sí…, qué mono. M33 se llama. Es argentino, los argentinos nos gustan… —Iba mirando fotos—. En la playa, con los amigos, una puesta de sol y una ensalada de quinoa, claro que sí, guapi…

—Déjame ver. —Tristán cogió el móvil—. La verdad… es que está para entrar a vivir…

Se rieron, pero Tristán se quedó callado de golpe. Guille quiso recuperar su móvil.

—Espera —dijo observando una foto en la que salía con una mujer, mayor que él, y un mensaje: «Te quiero, ma»—. Guille, dime que esta señora no es la misma de la gasolinera…

—A ver… —Guille la observó detenidamente y bebió un trago largo de cerveza—. No es ella, tranquilos, disfrutemos de estas vacaciones.

—Guille —dijo Tristán—, no te creo, se llama Mateo, lo pone aquí.

Guille advirtió que llegaban las hamburguesas y no respondió.

—¡Chicos! —dijo el camarero con las manos cargadas de comida—. Aquí tienen, muy hecha, al punto y con la vaca haciendo muuu. —Les fue dejando cada plato y cuando tuvo las manos libres les señaló un pequeño cesto de mimbre—. Aquí es para que dejéis los móviles y desconectéis de todo.

—No no no —dijo Guille—, acabamos de llegar, necesitamos, precisamente, conectarnos.

—¿Ah, sí? Pues esta noche tenéis que ir a ese chiringuito de ahí. —Señaló una pequeña cabaña de madera en medio de la arena—. Vendrá lo mejor y lo peor de cada casa.

—¿Tú vas a ir? —le preguntó Tristán.

—Cuando acabe de trabajar, seguro. —Los tres le sonrieron—. Mi novia trabaja ahí. —Dejaron de sonreír—. Si vais, decidle de mi parte que os invite a algo.

—¿Cómo se llama?

—Marta —respondió—. ¡Que aproveche, chicos!

—No, si al final, va a ser más fácil encontrar maricones en el kilómetro 323 de la autopista que en esta playa llena de gente. —Se rio Guille. Cogió el kétchup y se lo echó a las patatas—. ¡Que aproveche, amigos!

Luis y Tristán no se movieron. Se le quedaron mirando, sin coger la hamburguesa siquiera.

—¡Mmm! —teatralizó—. ¡Riquísima! —Miró hacia el horizonte, masticó y tragó la bola que se le había hecho en la boca, tomó otro trago de cerveza y les devolvió la mirada sin dejar la copa en la mesa—. Y sí. La de la foto con el argentino es Débora. Acabamos de encontrar a su hijo Mateo. —Levantó la copa—. ¡Por nosotros!

Cuatro días más tarde

—Diremos que ha sido en defensa propia. Que te atacó y le empujaste, en tu defensa.

—Nadie se lo va a creer. —Tristán negaba con la cabeza.

6

GuAPPe

La furgoneta estaba aparcada enfrente del inacabado hotel El Calipo. La habían dejado bajo un gran ficus que le daba sombra durante todo el día.

Mientras estuvieron en la hamburguesería, habían buscado sitios donde pasar la noche y habían encontrado alguna opción, pero por precio o por ubicación, ninguna les pareció mejor que dormir una noche más en la furgoneta de Tristán.

Sacaron un par de sillas plegables, pusieron una maleta como mesa central y colgaron un pareo en las ramas del ficus.

Estuvieron escuchando música, hablando, jugando a las cartas... y también intentaron hablar con Mateo a través de GuAPPe, la aplicación donde habían encontrado su perfil.

Guille lo probó desde su cuenta, le saludó un par de veces, pero no tuvo éxito. A pesar de que le vieron conectado, no respondió. Luis, que no tenía foto en su perfil, también le dijo algo, pero tampoco obtuvo respuesta. Tristán, que, según dijo, se había borrado la aplicación, se la volvió a instalar y empezó a crearse una cuenta nueva.

—¿Qué tipo de chico creéis que le gustaría a Mateo? —preguntó a sus amigos.

—Que esté bueno —dijo Guille.

—No, espera —dijo Luis—, hay que buscar el perfil ideal. Hay que mirar qué tipo de amigos tiene y fotos en las que salga con chicos él solo. Busca alguno que pueda haber sido novio o rollo suyo, mirad en los comentarios.

—Ponte un horóscopo compatible —dijo Guille.

—¡Anda ya! —respondió Luis.

—¿Qué pasa? Él es Leo, pues tú di que eres Aries, atracción a primera vista y muy fogosa. Porque tú eres Virgo, Tristán, no tienes nada que hacer con él...

Tristán seguía escribiendo concentrado.

—Vale —dijo mientras acababa su nuevo perfil—, ¿os parece si pongo, de primera frase: «De paso por El Palmar, ¿algún plan?».

—Perfecto.

—Necesitamos fotos —dijo Luis—, he mirado en Internet pero... se nota mucho que son falsas.

—Podemos poner las de mi encargado, que estaba tremendo, y así me vengo de él.

—Espera —dijo Tristán mientras llamaba por teléfono—, tengo al chico adecuado.

Esperó unos segundos y empezó la conversación, que Luis y Guille siguieron expectantes:

—Jona, ¿qué tal? Bien, sí, bueno, al final nos hemos desviado un poco..., ya te contaré... —Tristán iba haciendo muecas a sus amigos—. Oye, escúchame. Necesito que me hagas un favor..., bueno, dos. El primero, ¿me podrías mandar un par de fotos tuyas? Las que enviarías para ligar..., de cara; dos más, o tres, en las que se te vea el cuerpo; bien de brazo, alguna del gimnasio... Básicamente... Sí, alguna así de espejo, haciendo deporte... —Tristán sonreía mientras se oía una voz al otro lado de la línea—. Ah, nada, el segundo favor es que no me preguntes para qué son. Si sale bien, te lo cuento, y... si no sale bien, pues que has sido un gran amigo, y que te quiero.

Cuando colgó, le fueron llegando las fotos.

Guille y Luis se inclinaron sobre su móvil para comprobar que estuvieran al nivel. Con la primera, ya dieron el visto bueno. Tristán las subió a su nuevo perfil. Ya estaba completo, pusieron una jota como nombre.

—No le voy a hablar —dijo Tristán—, esperaremos a que muerda el anzuelo.

Chocaron las manos.

—Bueno —dijo Guille—, vamos a ponernos monas para esta noche, ¿no?

—Tenemos que cenar, ducharnos, beber algo —dijo Luis.

—Uy, ¡qué estrés! —respondió Guille.

Tras dejar el nuevo y falso perfil hecho, cada uno se preparó para la noche. Luis se puso a ordenar su maleta, doblando ropa, y Guille se fue hacia una pizzería que había cerca.

A Tristán le sonó el móvil. Era su madre.

—¡Hola, mamá! —dijo alejándose también de la furgoneta—. ¿Cómo estás?

—Bien, Tristán —dijo Carmen en tono cariñoso—. Verás, quería hablar contigo, que ayer fue un poco precipitado todo.

—Mamá, no entiendo por qué tienes que dejar a papá ahora. De hecho, no entiendo que lo dejéis.

—Tristán —Carmen intentaba un tono amable—, entiendo que ahora no es buen momento, pero…

—Pero ¿qué?

—Deja que te explique —fue alzando la voz—. Lo primero es que necesitamos divorciarnos legalmente, porque lo de tu padre cada vez parece más grave.

—Pero… ¿ha pasado algo más? —se alteró Tristán.

—No, no ha pasado nada. Por partes, Tristán. Papá ha hablado con abogados y la cosa pinta muy mal. Con el divorcio, consigo quedar libre del problema.

—¿Y dejas que se hunda papá solo?

—Tristán, es lo menos grave que nos puede pasar, créeme.

Tristán cerró los ojos y bajó la cabeza.

—Y hay otra cosa, cariño.

—¿Más?, ¿qué pasa?

—Pero es bueno. Que en un proyecto que tenía entre manos, el que te comenté, ¿recuerdas?, parece que tira adelante y pronto creo que recibiremos, al menos, una buena noticia.

—¿Te refieres a dinero? Para vosotros, las buenas noticias siempre son de dinero.

—Sí, bueno, Tristán. Es una cantidad con la que podremos respirar un tiempo.

—Es que parece que lo de papá te dé igual.

—No me da igual, es tu padre, por eso no me da igual. Pero ahora mismo toca que nos cubramos nosotros.

—Pero, mamá —dijo serio mientras giraba sobre sí mismo—, ¿por qué no me contáis lo que ha pasado? Seguro que hay algo que pueda hacer.

—¿Qué vas a poder hacer? —dijo su madre—. Olegario va

67

a machete con tu padre, esto es así. Y lo mejor es que no nos metamos, ni tú ni yo...

—Si demostramos que papá cedió los poderes a Olegario, se demostraría que él no hizo nada —interrumpió Tristán—, ¿por qué no queréis siquiera intentarlo...?

La llamada se cortó. Tristán volvió a llamarla pero le salía apagado. Regresó a la furgoneta.

—¿Qué pasa? —preguntó Luis—. ¿Todo bien?

—No... —respondió Tristán—, se ha quedado sin batería. Vaya mierda, todo.

—¿Quién era?

—Mi madre, que parece que no le importe lo que le vaya a pasar a mi padre. Me llama, como si nada, para decirme que en breve cobraré una cosa...

—Al menos una buena noticia, ¿no? ¿Y de qué vas a cobrar?

—Nada. Desde que me saqué la carrera, a veces mi madre me pasa proyectos que tienen que pasar por un aparejador para que compruebe que cumple con la normativa, está todo en orden, etcétera. Los que me pasa ella, siempre la cumplen, así que casi ni los miro, los firmo y me llevo algo.

En ese momento apareció Guille con la cena.

—¿Alguien ha pedido cerveza y pizzas? —Llevaba tres cajas de cartón y un pack de latas—. Es de la pizzería del camping de aquí al lado. Y luego podemos entrar y ducharnos, hay cero control.

Luis dio una palmadita en la espalda a Tristán y ayudó a Guille con la cena.

Pusieron música y compartieron las tres pizzas. Estuvieron comiendo, bebiendo y bailando alguna canción con la música que cada vez iban poniendo a más volumen. Una vez acabada la cena, fueron por turnos a las duchas del camping, volvían con la toalla en la cintura y se vestían junto a la furgoneta. La noche era calurosa. Guille le pidió prestada una camisa de tucanes a Tristán; este se probó una de tirantes de Guille, pero se acabó poniendo una blanca de Luis, más ceñida. Luis, tras probar varias opciones, decidió dejarse la que ya llevaba puesta.

Se miraron los tres, se hicieron una foto, cerraron la furgoneta y se fueron hacia la playa.

ϓ

Con los pies descalzos, sintiendo la fina arena entre sus dedos, los tres chicos se iban acercando al chiringuito. Desde lejos se oía el barullo de la fiesta, había mucha gente en aquella cabaña, la playa estaba oscura, el chiringuito era la única caseta con luz, la buena temperatura acompañaba, la música les iba haciendo mover el cuerpo.

—Me está entrando un nervio ya por dentro… —dijo Guille.

Nada más llegar, empezaron a observar y a comentar entre ellos, se cruzaron algunas miradas, sonrieron a algunos… y al final se acercaron a la barra.

—¿Marta? —le gritó Luis a la camarera con mucho énfasis, como si la reconociera.

—¡Hola! —respondió ella.

—¿Te acuerdas de mí? —dijo Luis—. ¡Qué fuerte encontrarte por aquí!

Guille y Tristán asistían al espectáculo divertidos.

—Si tuviera que acordarme de todos los chicos que pasan por aquí, me explotaría el cerebro —dijo ella.

Los tres se rieron y Luis le confesó que la conocían porque habían comido en la hamburguesería Miami y su novio les había hablado de la fiesta.

—¡Aaah! ¿Habéis comido bien? ¿Qué os pongo?

—Tres cervezas.

Marta se las sirvió a la vez que les ofrecía tres chupitos.

La noche fue avanzando y la euforia de los chicos iba también subiendo. Cada vez se reían más con Marta y entre ellos. Al poco rato, llegó el camarero, al que le confesaron que no les había gustado saber que tenía novia…, pero que ahora se alegraban por ellos, que estaban muy orgullosos y que la amaban y que iban a venir cada noche.

A ratos, salían al medio de la improvisada pista y bailaban. Se reían, se abrazaban, se gritaban cosas al oído, iban a la orilla del mar, miraban la luna, se mojaban los pies con las olas y volvían a la barra, chupitos, pista de baile, hablar con unos, reír con otros… En algún momento, Guille y Tristán perdieron de vista a Luis, le buscaron, dieron algunas vueltas, pero no le encontraron.

69

Otra vez el mar, la luna, la barra, bebida, chupito, bailar... Guille se fue un momento y Tristán no volvió a verlo, quedándose solo entre la multitud, buscándolo entre la gente, en la arena, en el chiringuito. Volvió, cada vez andando con más torpeza, a la orilla, barra, pista. Tristán intentó volver a buscar a sus amigos, pero no los encontraba; aun así, quiso quedarse en aquella fiesta. Continuó pidiendo bebida en la barra, cada vez daba más tumbos, hablaba con gente, algunos le respondían, se reía, otros no le hacían caso. Bailaba solo en la pista, buscando a sus amigos a ratos. Y volvía a la barra...

Al día siguiente, el sol daba de lleno en la furgoneta, ni un ápice de sombra protegía el vehículo. Las ventanas estaban abiertas. En el interior, Tristán se despertó tumbado en el asiento trasero.

Luis no estaba. Guille tampoco.

7

Agua fría

*T*ristán abrió lentamente los ojos. Miró a su alrededor, molesto por la luz que entraba por las ventanillas. Se asomó a los asientos delanteros, donde no había nadie. Trepó al respaldo para registrar la parte de atrás de la furgoneta. También vacía. Buscó la manilla de la puerta y abrió.

Al poner los pies en el suelo tuvo que esperar unos segundos hasta que pudo levantar bien la cabeza. Los ojos se le cerraban, movía la boca de la sequedad, se humedecía el paladar con la lengua. En la botella que tenía en la mano solo quedaba un dedo de agua. Iba con la camiseta blanca, que se quitó en ese momento como si la estuviese despegando de su piel, y el bóxer de sandías, que le iba ajustado, desaliñado por la parte delantera. Estiró los brazos y, con un acto reflejo, se puso la mano sobre la parte inferior de la barriga, mordiéndose los labios.

Se dirigió despacio hasta un árbol que había a unos metros. Miró a su alrededor, la luz le cegaba, con una mano se tapó la cara, con la otra se bajó la goma del calzoncillo. Esperó un rato hasta que pudo orinar.

Volvió a la furgoneta y miró su móvil, sin apenas batería. Luis había escrito en el grupo por la noche diciendo que se había ido con una pareja de gallegos que conoció en la fiesta. Un mensaje más reciente, de por la mañana, enviaba la ubicación invitándolos a ir con ellos: «¡Tienen piscina!».

La última conexión de Guille había sido a la una de la madrugada.

TRISTÁN. Voy para allá… Me mueroooo, muack. Guille, estás vivoo??

Se puso un bañador encima del bóxer, cogió una camisa limpia de su maleta, cerró la furgoneta, se puso las gafas de sol y echó a andar.

Sacó el teléfono y llamó a su padre.

—Papá, tengo muy poca batería, ¿estás con mamá?

—Hola, hijo, no, tu madre se ha ido a…

—Vale, escúchame, papá —le cortó—. Prométeme que no le vas a contar nada.

—¿Qué pasa? Me estás asustando, Tristán, ¿qué ha pasado?

—Prométemelo.

—No te entiendo.

—Papá, quiero ayudarte.

—Pero ¿cómo quieres…?

—Escúchame, y no digas nada —alzó la voz—. Es una larga historia, pero en un área de servicio nos tropezamos con Olegario.

—¿Cómo?

—Le hemos seguido. Estamos en el pueblo donde veranea con su mujer, en El Palmar.

—Pero ¿qué haces ahí? —se exaltó su padre—. Ahí va cada año, pero ¿qué hacéis vosotros ahí?

—Quiero ayudarte, pero necesito que me respondas. —Tristán se detuvo en seco—. Y que me cuentes la verdad.

Su padre no respondió.

—Olegario y Débora tienen una inmobiliaria aquí.

—Sí, Villas Palmar.

—Vale, papá. Al parecer, van a construir unos apartamentos al lado del faro, he leído noticias, hay protestas, juicios de por medio.

Su padre respiraba profundamente.

—Sí, hijo…, lo sé.

—¿Qué tienes que ver tú con todo esto? —Un sonido de alerta sonó en el móvil—. Dímelo, papá, no tengo batería.

—Tristán, no es momento ahora de explicarte…

—Necesito —dijo casi gritando— que me lo cuentes.

Un sonido alertó otra vez del bajo nivel de batería.

—Está bien, Tristán, pero solo si me prometes que te vas a ir de ahí.

—Lo prometo, papá —dijo cruzando los dedos.

—Durante los meses que estuve en el hospital, una empresa llamada DLS nos contactó para que dirigiéramos juntos un proyecto en la zona donde veranea Olegario, donde estáis vosotros ahora, El Palmar.

—Fue entonces cuando le diste los poderes.

—Exacto. Era una gran oportunidad de inversión, Tristán. Lo que no sabíamos era que la construcción era en un terreno protegido y que el proyecto era ilegal. La empresa había sobornado al alcalde para conseguir unas licencias.

—¿Licencias? ¿De qué?

—Esas licencias permitían iniciar las construcciones.

—¿Y qué pasó después? —El móvil de Tristán le volvió a advertir de la cada vez más baja batería.

—Cuando empezaron las protestas y la cosa se complicó, la empresa cargó toda la responsabilidad contra nosotros. Alegando que éramos nosotros quienes habíamos sobornado al alcalde y conseguido aquellas licencias de forma ilegal. Y ahí es cuando Olegario saltó del barco. Se libró diciendo que todo había sido cosa mía. A la empresa le pareció bien, y a él no le persiguieron más.

—Pues necesitamos conseguir ese contrato, papá, y demostrar que eres inocente.

—Ese contrato es como si no hubiera existido jamás. Las operaciones se realizaron desde mi cuenta, el dinero salió de mi parte de El Cucurucho. Lo único que ayudaría es conseguir el ordenador desde donde lo hizo.

—¿Y no se habrá deshecho de él? —El aviso de batería era cada vez más frecuente.

—Ahí tiene demasiada información, y cualquier movimiento, borrar archivos, desprenderse del ordenador, sería como autoinculparse.

—¿Y por qué no le registran el ordenador?

—No hay ninguna orden y podría aumentar mi pena. Tristán, ni se te ocurra hacer nada.

El móvil se apagó. Tristán le miró enfadado. Se lo metió en la goma del bañador y siguió andando.

ϒ

Al cabo de un rato llegó a la casa que le había indicado Luis. Desde la puerta, se intuía un jardín amplio, el césped estaba cuidado y pudo oír el chapoteo de la piscina. Uno de los gallegos le abrió la puerta, llamándole por su nombre, y le invitó a pasar.

Luis estaba en el agua.

—¡Ven, báñate, está buenísima! —gritó.

—Tú sí que estás buenísima —respondió.

—¡Ellos son Fer y Nacho! Él es Tristán.

Le invitaron a sentarse en el porche y a desayunar lo que había en la mesa. Le ofrecieron agua, zumo y café, incluso una cerveza, que Tristán rechazó riéndose.

—Vaya casita, ¿no?

—Es preciosa —respondió Fer—. Solemos alquilar algo por aquí en verano. Aunque ya mañana nos vamos.

—¡Nooo! —dramatizaba Nacho—. No quiero irme. Con lo bien que se está aquí.

Luis salió de la piscina y se pasó un agua con la manguera, que le hizo temblar.

—¡Ah! ¡Está helada!

Se acercó a Tristán mientras se secaba con una toalla grande. Llevaba un bañador negro que sería tres veces su talla, remarcando las delgadas y largas piernas. Sin soltar la toalla, puesta como si fuera una capa, abrazó a Tristán por los hombros.

—¿Mucha resaca? —dijo dándole un beso en la mejilla.

—Ahora ya estoy mejor… ¿Puedo cargar el móvil?

Tristán tomó un poco de todo lo que había. Se hizo tostadas con mantequilla, bebió zumo y un café al que le añadió unos hielos.

Una hora más tarde, Guille habló por el grupo. Había pasado la noche en el camping y se había quedado sin batería. Tras indicarle dónde estaba la casa, apareció al poco rato. Les contó que, al acabar la fiesta, no los encontró y se quedó con una gente en la playa, empezó a tontear con uno que le invitó a dormir en su bungaló, que les sobraba una cama, y que al final no pasó nada con él.

—Pero me he despertado, y la verdad es que ese chico, a la luz del día, no era el adonis que yo había conocido bajo la luz de la luna.

—O a ti te bajó el alcohol —dijo un gallego.

—Posiblemente, la cosa es que la princesa se convirtió en calabaza... que se podría haber convertido en berenjena, pero tampoco.

—Anda —respondió Nacho riéndose—, ¿quieres agua?

—Gracias, con hielo, qué rica.

Estuvieron un rato sentados alrededor de la mesa y hablando. Los gallegos, una pareja que declaraba estar totalmente enamorada de aquella zona, les estuvieron recomendando sitios que visitar y playas donde ir.

—Subid a la terraza —dijo Nacho—, las vistas son preciosas.

Luis acompañó a sus dos amigos por las escaleras. Mientras subían, Tristán les explicó en voz baja:

—He hablado con mi padre. Todo el lío de las construcciones que nos explicó tu tía, ¿sabes?, mi padre está metido hasta al cuello.

—¿Qué? —se alarmaron los dos.

—Hay que demostrar que fue Olegario quien metió a mi padre en todo esto, y que mi padre es inocente.

Subieron los últimos escalones hasta llegar a la terraza. Casi a la vez, se quedaron mudos contemplando la panorámica de la costa: un mar interminable con kilómetros de playa. A lo lejos, el pueblo de casas blancas que habían recorrido al llegar. A la izquierda, volvieron a ver aquel cabo, con escasa vegetación, y, en lo alto de una pequeña colina, el faro de Trafalgar.

—Se me pone la piel de gallina siempre que veo este faro —dijo Luis.

Nacho apareció por detrás de ellos.

—Qué maravilla, ¿eh? —dijo.

—Es precioso —dijo Guille—, y el faro también..., es como enigmático.

—Sí —respondió el gallego con cierta pena—. Pero disfrutadlo ahora, porque... ¿veis todo eso? —Señaló la zona de dunas que había junto a la colina—. En septiembre entran las máquinas y lo van a edificar todo. Seguro que habéis oído algo.

75

—Sí, algo hemos sabido —dijo Luis.

—Es que es el tema de este verano —les explicó Nacho—. Ha habido manifestaciones, protestas de todo tipo, pero nada. Para cuando se demuestren las irregularidades, ya habrán empezado las obras.

—Qué hijos de puta, ¿no? —dijo Guille mirando a Tristán.

—Y, lo que es más grave, podrán vender los apartamentos.

—¿Antes de construirlos? —preguntó Tristán.

—Sí sí —dijo Nacho muy serio—. El otro día, Fer y yo estuvimos cotilleando la web, y la promoción empieza en septiembre. De esta manera, si luego cambia la ley o se paran las obras, o pasa algo, los promotores ya se han llevado toda la pasta de lo que han vendido.

—¿Y los que lo han comprado? —preguntó Guille.

—Se joden. Ellos comprarán lo que han visto en fotos y cuando lleguen…, a saber.

—Madre mía… —suspiró Tristán—. Pero entonces, a pesar de las denuncias, ¿tira todo adelante?

—Más o menos…, a todos los implicados les interesa que se inicien las obras para poder vender los apartamentos, para que sea una realidad. Una vez esté todo vendido, ya podrán tirar del hilo e investigar, que las ratas ya habrán huido, las empresas se esfumarán y los responsables estarán en algún lugar comiendo caviar.

—Bueno… —dijo Tristán—, alguno acaba cayendo siempre.

—Claro, las empresas ya se encargan de buscar a un cabeza de turco que pague por todos. Pero bueno, solo pringa uno.

Tristán tragó saliva. Contemplaron el paisaje algunos segundos más en silencio.

—Pero no pensemos en esto ahora, chicos. Y menos vosotros, que estáis aquí de vacaciones, no para que os contemos las desgracias de la zona.

Bajaron de nuevo al jardín. Los gallegos dijeron que se tenían que ir a comprar un par de cosas y querían tomarse un cóctel de despedida. Les ofrecieron quedarse en la casa aquella tarde para que pudieran descansar, cargar el móvil y ducharse si querían. Los tres aceptaron. Les dieron una llave y les pidieron que al salir la dejaran en el buzón.

Cuando la pareja se fue, Guille, Luis y Tristán hablaron sobre todo lo que les había explicado Nacho.

—Todo cuadra —dijo Tristán con una sonrisa—. A mi padre le juzgan en septiembre.

—Es el cabeza de turco, ¿no? —preguntó Guille.

—Olegario quiere que lo sea, pero podemos demostrar que es inocente.

—Y ¿cómo se demuestra? —dijo Luis.

—¿Os acordáis que decíamos que Olegario tenía que encargarse de la seguridad del Pentágono?

—¡Jajaja! Cucurucho123, la contraseña más segura que usaba para el ordenador —recordó Guille.

—¡Es verdad! —añadió Luis—. Me la tuvo que decir un día y me hizo prometer que no la compartiría nunca. Y creo que tardé diez segundos en decírosla porque me moría de risa.

—Ahí lo guardaba todo. Tenemos que meternos en su ordenador. Hay que conseguir sí o sí entrar en su casa.

Estuvieron repitiendo argumentos y recomponiendo los hechos durante un rato más. Sobre todo, Tristán. Guille y Luis se fueron acomodando lentamente en el sofá, decían tener mucho sueño y querían echarse un rato. Miraron cómo funcionaba el mando de la tele y se dedicaron a zapear en silencio, sin ver nada en concreto.

—Bueno, Luis —dijo Tristán más animado—, ¿no nos contarás qué ha pasado aquí esta noche?

—Prefiero no saberlo —respondió Guille subiendo el volumen de la televisión.

—Joder, Guille —respondió Luis—, ¿qué más te dará?

—Bueno, me sabe mal por Mario. Me pongo en su lugar y a mí me jodería que me hiciera esto.

—Y en vez de ponerte en su lugar, ¿por qué no te pones en el mío? Te recuerdo que tu amigo soy yo, no él.

—Que hagas lo que te dé la gana, pero que no quiero saberlo.

Luis suspiró y se quedó mirando la tele.

Tristán se quedó un rato sentado con ellos, unos minutos, los que tardaron sus amigos en dormirse. Bajó el volumen y se levantó en busca del baño. Se metió y dejó la puerta entreabierta. Abrió el grifo y tras dejar correr un poco de agua, se lavó las manos y la cara con jabón. Después se mojó también el pelo, que tenía reseco. Algunas gotas le corrieron por el cuello mojando un poco su camiseta, se la quitó y se echó aún más agua dejándola caer por todo su cuerpo.

Miró el móvil. Tenía varias notificaciones de algunos chicos en GuAPPe. Fue bajándolas pero ninguna era de Mateo. Leyó alguna conversación, incluso respondió. Sonreía mientras leía, miraba las fotos que recibía y escribía algún mensaje. A medida que iba hablando con uno y con otro, fue recibiendo fotos cada vez más subidas de tono. Al principio le sacaron una sonrisa; luego algo le hizo reír de verdad; finalmente, sin dejar de mirar la pantalla, su sonrisa empezó a ladearse, sus ojos dejaron de mirar con inocencia. Con una mano sujetaba el móvil, la otra la bajó despacio hasta agarrarse el bañador y se empezó a acariciar con el dedo pulgar.

Enfrente tenía un espejo en el que se reflejaba medio cuerpo. Desde el torso desnudo hasta un poco más abajo de la cintura. Soltó la mano de su bañador, se puso de perfil y observó la forma casi triangular que había adoptado entre las piernas. Se rio. Miró la puerta y la cerró por completo. Volvió a ponerse de frente, con la mano izquierda comenzó a rozarse el pecho, suavemente, como si quisiera que solo sus uñas acariciaran su piel, produciéndole un agradable cosquilleo. La otra mano la introdujo dentro del bañador, moviéndola con suavidad. Sonriendo al espejo, como si tuviera cierta timidez al verse, se empezó a bajar con delicadeza el bañador, esquivando con la goma su fuerte erección.

Se acercó a la ducha y abrió el grifo. La mano que tenía libre la puso bajo el chorro del agua, dejando que esta se deslizara entre sus dedos, ajustando la temperatura. Mientras tanto, se seguía acariciando cada vez a más velocidad, cerrando los ojos y respirando con fuerza. Alargó el brazo de la ducha despacio, elevando la cabeza unos cuantos centímetros más arriba y lo inclinó para que el chorro del agua cayera directo sobre su cabeza y sus hombros. Cogió champú y se lo esparció por el pelo, cubriéndolo entero de espuma blanca. Agarró a ciegas el bote de gel y empezó a enjabonarse el cuello, los hombros, las axilas, los brazos… Cerraba los ojos, el agua le mojaba la cara, las mejillas, caía por su barbilla. Abría la boca como si quisiera beber. El agua le recorría todo el cuerpo, la cintura, las piernas… La espuma que le bajaba de la cabeza se escurría por la columna hasta colarse entre sus nalgas. Con más jabón, se frotó con las dos manos por debajo de la cintura.

Se dio la vuelta, de manera que el agua le aclaraba la espalda, las lumbares, los glúteos. Tenía los ojos medio cerrados, la boca entreabierta…, su hombro derecho no se detenía. Tristán resoplaba… No movía más que su brazo, que se agitaba cada vez más deprisa chocando contra su torso. Solo se oía el chorro de agua, su respiración, los chasquidos provocados por sus manos y piel mojadas. De repente, se le nubló la mirada, se encogió y un espasmo se apoderó de todo su cuerpo. Su mano no paraba. Su cara era de desaliento, sonreía, sus ojos se cerraron. Emitió un fuerte gemido… El movimiento de su brazo se fue deteniendo, volviéndose rígido. Se quedó paralizado unos segundos, mientras el agua se llevaba los restos de espuma de su piel. Se le escapó otro pequeño espasmo. Abrió los ojos y respiró unos segundos. Tras coger aire, cerró el grifo rojo y abrió por completo el azul, acabando la ducha con un fuerte chorro de agua fría.

Cogió la toalla, se secó y se la ató a la cintura. Con las piernas un poco débiles, se puso frente al espejo. Se puso una crema en la cara, cogió prestada de los gallegos un poco de cera para el pelo y se perfumó con una colonia que encontró en un estante.

Miró el móvil, que seguía enchufado y cargando. Había una notificación de GuAPPe:

M33. Qué tal, J?

79

8

Hasta mañana

*T*ras leer el mensaje, Tristán cerró la boca como si estuviera conteniéndose para gritar. Vaciló unos segundos, cerró el móvil y salió disparado del baño, con la toalla puesta por la cintura y su ropa en la mano.

—¡Mateo me ha contestado! —gritó despertando a sus amigos.

—¿Y qué te ha dicho?

—«Qué tal, J.?» —respondió mientras se ponía el bañador por debajo de la toalla.

Sus movimientos para vestirse, haciendo malabarismos con su ropa interior y la toalla, eran bastante torpes. Guille le miraba con una sonrisa.

—Te la hemos visto todos —se burló.

Tristán tiró la toalla al suelo y se puso el bañador.

Volvieron a su furgoneta, delante de El Calipo, y pasaron la tarde en su improvisada terraza bajo el ficus. Estuvieron barajando las opciones que tenían para dormir aquella noche. Pero ninguna los convenció. Asumieron pasarla otra vez en la furgoneta.

J. Hola Mateo! Pues… en casa, que he estado con unos amigos.

M33. Ah qué bueno! En la playa?

J. No, de piscineo jeje.

M33. Ah, rebién.

Mientras Tristán iba hablando con Mateo, Guille preparaba sus cosas para ducharse en el camping y Luis leía una revista de ciencia.

—¿Sabéis que el 31 de agosto habrá una *blue moon*?

—¿Y qué es eso? —preguntó Tristán.

—Es un fenómeno que se produce cada dos años y medio. Sucede cuando en un mismo mes hay dos lunas llenas. Ya ha habido una el día 2 y habrá otra el último día del mes.

—¡Oh! —se emocionó Guille—. Podríamos ir a la playa y bañarnos de noche.

—Paso —respondió Luis—, el agua aquí está congelada.

—A saber dónde estamos esa noche —añadió Tristán.

—Sois unos rancios. —Guille se fue con cara de asco hacia el camping.

M33. Hasta cuándo estás por acá?

J. Poquito, 2 o 3 días más.

M33. Aah… qué bajón…

El sol estaba cada vez más bajo, enrojeciendo el cielo, algunos mosquitos picaban, empezó a refrescar. Guille había vuelto de la ducha.

J. Sabes de alguna playa que esté bien?

M33. Yo voy a la del Africano, la ubicás?

J. Ni idea… Vas mañana?

M33. Claro, sí, venite, y damos una vueltita…

—¡Sí! —gritó Tristán—, mañana tenemos que ir a la playa del Africano.

—¡Ah! Los gallegos me han hablado de ella, se ve que es una pasada.

—¿Por qué quieres ir? —preguntó Guille.

—Mañana ¡Mateo va a estar ahí! —dijo mientras se pegaba una colleja a sí mismo matando un mosquito.

Estuvieron buscando la playa en el Maps. Luego Tristán y Luis se colaron en el camping para ducharse. Al volver, le dijeron a Guille que aún no había plazas disponibles.

—No pasa nada, la furgoneta ya me parece hasta cómoda.

Aunque, ya que estamos, podríamos ir al faro, incluso pasar la noche ahí.

Los dos pusieron cara de interrogación.

—¿Ahora? ¿A qué? —dijo Luis.

—Estará lleno de mosquitos —dijo Tristán.

—Aquí también hay mosquitos —respondió Guille—, nos pueden picar mientras vemos un hotel cerrado o, a lo mejor, mientras vemos una puesta de sol.

—También es verdad —dijo Luis mirando a Tristán—. Total, para dormir en la furgo, la podemos aparcar donde queramos.

—Totalmente, Guille —dijo Tristán dándole un beso en la mejilla—. Y así vemos, por fin, el famoso faro de cerca.

—Puedo conducir yo, si queréis —dijo Guille—. Así aprendo.

—Ni de coña —respondió Luis—, que nos matamos.

Con la furgoneta pasaron por la Miami y pidieron tres hamburguesas para llevar. Saludaron al camarero, hablaron sobre la fiesta de la noche anterior y le preguntaron por Marta. 83

—Hoy no está por aquí. Hace prácticas por la noche en el hospital.

—¿Hay hospital aquí?

—Sí, abrieron uno hace un par de años en Conil.

—Pues mándale besos de nuestra parte.

—Lo haré. ¡Que aproveche!

Tristán condujo hasta el faro de Trafalgar, situado en lo alto de la pequeña colina. Subieron por un camino y pudieron aparcar al lado del mirador, en una zona de tierra donde había algún coche más.

Llegaron justo cuando al sol le quedaban pocos minutos para ponerse. Había más gente que se había acercado para ver el atardecer.

—¡Qué bonito! —dijeron mientras contemplaban cómo se escondía en el horizonte.

—¡Qué cague! —dijo Guille observando el faro que se erguía enfrente de él.

La linterna ya giraba dando cada vez más luz, a medida que el cielo se oscurecía.

Anduvieron un tramo con la playa a los dos lados, las dunas desérticas y el océano. A lo lejos se veía a la gente como pequeñas hormigas, algunos abandonaban la playa, otros se abrigaban y se quedaban mirando al horizonte. Ellos se sentaron en una roca. Cada uno tenía una lata de cerveza en la mano. Guille repartió las hamburguesas.

—¿Os acordáis aquel día en San Francisco —dijo con la boca llena— que estuvimos corriendo como locos para ver la puesta de sol desde el puente…?

Tristán y Luis le escuchaban mientras miraban el horizonte.

—Y que cuando llegamos, entre las nubes, la ciudad y todo, el sol no se veía prácticamente. Desde entonces, que teníamos una puesta de sol pendiente los tres juntos.

Se arrimaron y se cogieron por los hombros, abrazándose los tres. No perdían de vista aquel espectáculo. Tenían los ojos brillantes por el reflejo de aquel atardecer. La fría brisa oceánica los hacía encogerse.

84

El sol se mojaba los pies en el Atlántico. Las nubes habían enrojecido, algunas eran grises y apenas se distinguían en el cielo, cada vez más oscuro. A su alrededor, las personas iban bajando la voz, acortando las frases, callando las palabras. El cielo, antes de vestirse de negro, esperaba a que el océano apagara poco a poco aquella pequeña brasa que se mantenía encendida en medio del horizonte.

—¿Sabéis qué he soñado? —irrumpió Guille una vez más.

—A saber… —dijo Tristán.

—Que éramos reales —dijo sin apartar la vista del sol moribundo.

—¿Qué dices? —Se rio Luis—. ¿Y qué somos ahora?

—En serio, que éramos de carne y hueso. Que todo esto era real, el mar, el sol, nosotros, este viaje.

Tristán y Luis se miraron como si estuvieran de acuerdo en no responderle. Tristán acercó su mano al pecho de Guille y le pellizcó el pezón con fuerza.

—¡Aah! —gritó Guille.

—¿A que lo has notado? —Se rio Tristán.

—Iros a la mierda —se quejó Guille divertido—, yo sé lo que me digo…

El sol se despedía. Solo quedaba un pequeño arco, brillante. Los tonos rojizos fueron dando paso a los azules oscuros que traían la noche tras de sí. Cada vez hacía más frío y las olas se colaban entre el silencio de todos los que en aquel momento despedían el día hipnotizados.

—Hasta mañana —le dijeron algunos.

El sol se puso.

Tres días más tarde

—¡Dispara! ¡Dispara! —gritó Tristán tensando la garganta mientras cerraba los ojos.

—¡No puedo!

—Venga, Guille —dijo Luis—, no hay tiempo que perder.

9

Una herida

Al día siguiente se despertaron temprano con la luz del sol que entraba en la furgoneta. Tristán fue el primero en abrir los ojos en el asiento del conductor, con el respaldo echado para atrás, igual que Luis en el del copiloto. Guille había dormido estirado en la parte trasera, entre las maletas.

Enseguida abrieron las puertas y salieron a estirarse y respirar. Seguían en el mismo aparcamiento de arena, al lado del faro, donde habían aparcado la tarde anterior. Ya no había coches y estaban solos en aquel mirador. Las vistas eran las mismas, pero con el sol al otro lado del mar, el cielo azul y completamente despejado.

Luis vio un camino que llevaba a una cala entre grandes rocas. Cerraron la furgoneta y bajaron a paso lento, no había absolutamente nadie. El océano los recibió calmado, con la marea baja.

Guille se acercó a la orilla y se mojó los pies.

—¡Aaaah! —gritó retrocediendo a saltos hasta la arena tras sentir el agua fría.

—Si no os importa —dijo Luis mientras se quitaba la camiseta—, ¡yo me voy a bañar! —Se quitó también el bañador y se fue al agua completamente desnudo.

Tristán le siguió, dejó su bóxer y su camiseta doblada encima de las chanclas y se metió corriendo en el agua, gritando como si fuera a la guerra. Finalmente, Guille se animó a deshacerse de la ropa, la tiró al suelo, dejándola arrugada, echó a correr para entrar un poco en calor y se unió a ellos.

El baño frío los despertó de golpe. Estuvieron jugando a

ahogarse, saltando uno encima del otro. Por un lado, se divertían; por otro, tiritaban de frío.

—¡Aaah! —gritó Luis poniéndose una mano en la pierna derecha.

—¿Qué pasa? —se alarmó Tristán.

Luis tenía cara de dolor. El agua les cubría hasta el pecho.

—He notado como si… —Abrió los ojos de par en par mirando al agua—. ¡Una medusa!

—¿Dónde? —gritó Guille dando vueltas como loco.

—¡Corred!

Salieron a la carrera. Luis iba delante y al llegar a la orilla se estiró en el suelo con la mano en la cadera. Seguía con cara de dolor. Guille y Tristán se acercaron a él.

—¿Te duele? —preguntó Guille desconcertado.

—¡Mucho! —Luis se mordía el labio inferior—. Por favor, haced algo.

Tristán se temió lo peor.

—¿No querrás que…?

—Lo que sea, me escuece mucho. —Luis tenía los ojos cerrados—. Leí que si no se reacciona a tiempo, puede quedar una marca para toda la vida.

—Joder, no. —Guille se preocupó—. Yo es que he meado en el agua.

—Yo también.

Luis estaba cada vez más estirado, tensaba el cuerpo y apoyaba la cabeza contra la arena.

—¡Por favor!

—Si quieres lo intento —dijo finalmente Tristán—, pero no prometo nada.

—Prueba tú; si no, lo intento yo —dijo Guille—. ¿Dónde te ha picado exactamente?

Tristán se puso en posición, apuntando a la pierna de Luis, y cerró los ojos, como si intentara concentrarse. Guille buscó en la pierna la erupción. Luis hacía rato que estaba boca abajo. No respondía, le temblaba la espalda, como si estuviera teniendo espasmos. A los pocos segundos, se giró. Estaba llorando de risa.

—Os tendrías que haber visto las caras al salir del agua. —Luis se ahogaba entre las carcajadas. Apenas podía hablar.

88

—Vete a la mierda —le dijeron los dos.

Entonces Tristán le agarró por los hombros, Guille por los tobillos y, entre los dos, mientras le insultaban, le llevaron al agua y le tiraron. Luis seguía riéndose sin parar, Tristán y Guille se volvieron a la playa a secarse bajo el sol. Al cabo de un rato de llamarlos y que no le hicieran caso, Luis volvió con ellos.

Se tumbaron cada uno en una roca boca arriba.

Estuvieron estirados hasta que el sol empezó a apretar fuerte. Cuando levantaron la cabeza, vieron que ya no estaban solos, un par de personas habían bajado a la cala. Se miraron sorprendidos, se apresuraron a ponerse el bañador y subieron hasta la furgoneta.

Fueron a desayunar a la Miami. Después compraron comida en un supermercado. Guille insistió en llevarse media sandía para el postre. También compraron bebida y hielo para la nevera.

Un poco después del mediodía se encaminaron a la playa del Africano. Iban por un sendero de tierra cargados con dos sombrillas, la comida, la nevera y la sandía. Tuvieron que bajar unas escaleras talladas en la roca hasta que llegaron a una playa alargada con acantilados, pocos metros de arena y la marea subiendo. Se oía el barullo de la gente, el viento y el ruido de las olas al romper en la arena. Al final de la orilla, a lo lejos, divisaron una roca enorme que parecía delimitar aquella playa.

Una vez pisaron la arena, se quitaron las chanclas. Anduvieron por la orilla, para no quemarse los pies. Avanzaron algunos metros y clavaron la sombrilla, extendieron los pareos en la arena y se quedaron en bañador. Se sentaron y observaron a quienes los rodeaban: parejas, algunas familias, grupos de amigos con música y toallas solitarias.

M33. Buenos días.
J. Q tal?
M33.Bien… despertando…
J. Jeje. Todavía?
M33. Sí, jeje, vas a la playa más tarde?
J. Sí, claro :)

—Podemos bajar la guardia —anunció Tristán—, aún tiene que levantarse, desayunar, venir...

—¡Uuuf! —suspiró Guille—. Yo voy a bañarme. ¿Me echáis crema?

—Yo voy a dormir un poco —dijo Luis escondiendo la cabeza entre los brazos—, que esta noche he dormido fatal.

—Voy contigo, Guille —respondió Tristán mientras cogía el bote de crema.

Se acercaron a la orilla del mar y se mojaron hasta los tobillos. El aire era fresco. Estuvieron hablando de lo peculiar que estaba siendo el viaje, de lo emocionante a la vez... Barajaban la opción de repetir el año siguiente, pero para disfrutarlo mejor... Hablaban de veranos anteriores.

—Por cierto, Tristán —dijo Guille con una sonrisa burlona—, no sabía que tu experiencia más morbosa había sido precisamente conmigo. —Le tocó con un dedo la barriga.

Tristán se rio.

—Bueno, es que fue muy fuerte aquella noche. Tú ahí, en el marco de la puerta, yo con el farmacéutico...

—Y nunca hemos vuelto a hablar de lo que pasó a la mañana siguiente. Que yo en realidad tenía que ir a trabajar.

—¿En serio? Pero si estabas viendo la tele.

—Ya, pero para ver si te volvía a ver. Y al final, me salió bien la jugada. Te vi y, además, rematamos.

—Bueno —dijo Tristán—, aunque lo de la noche fue como más especial, surrealista. Al menos para mí, al día siguiente fue ya todo más normal, ¿no crees? Como que lo hicimos por hacer.

—Sí... —Guille jugaba con los pies en el agua—. Bueno, a mí me gustó mucho igualmente.

Y miró a Tristán, quien tenía la mirada perdida en el horizonte.

—¿Te imaginas... —dijo esquivando el sol y ladeando los labios— que hubiéramos..., no sé, que hubiera continuado la cosa?

Tristán le miró extrañado.

—¿Qué quieres decir? La cosa ha continuado, ¿no? —Estaba tirando alguna piedra al agua—. Han pasado los años y... aquí seguimos.

—Ya —dijo Guille tímido y ladeando la cabeza—, me refiero a que, no sé, que hubiera surgido algo más aquel día, que…, yo qué sé, que hubiéramos empezado algo.

Tristán se giró levantando las cejas.

—Ya te entiendo —se acercó sonriente—, que hubiésemos empezado a salir, dices… Aunque yo creo que mejor así, ¿no? Como amigos. Además, no creo que hubiese funcionado, ¿no crees?

—¿Y por qué crees que no? —Guille se puso serio—. Nos llevamos bien, tenemos gustos similares, somos…

—Ah, yo qué sé —le interrumpió rascándose la cabeza—. Pero ¿lo dices por algo? ¿A qué viene esto ahora?

—Por nada…, ya sabes que le doy mucho al coco, y a veces me imagino cosas como qué hubiera pasado si esto, qué hubiera sido de mí si lo otro…. Pero bueno, déjalo.

—Yo prefiero haberte tenido como amigo. Los amigos duran para siempre, las parejas van y vienen.

—¿Tú crees?

—No lo creo, estoy seguro. Míranos a nosotros, pasan los años y, aunque no nos veamos mucho, cuando nos volvemos a ver es como si no hubiera pasado el tiempo. Y a lo mejor pasan dos o tres años y como si nada.

—Ese es el problema. Con un amigo puede pasar mucho tiempo sin que os veáis y no pasa nada; en cambio, a tu pareja sí que la ves cada día. Porque con un amigo pasas buenos momentos o compartes secretos que a lo mejor no contarías a tu novio, pero con tu novio compartes mucho más; pasas días enteros, noches. No planeas solo un fin de semana o veros una tarde, buscas momentos todos los días para estar juntos… Compartes mucho más.

—Sí, puede ser —dijo Tristán desganado—, pero cuando acaba, acaba todo. Imagínate, tú y yo saliendo durante todos estos años y que, de repente, acabáramos. —Se encogió de hombros—. Ahora no estaríamos aquí.

—Pero durante todo este tiempo hubiéramos vivido más cosas juntos de las que hemos vivido como amigos. ¿No crees?

Tristán tenía algunas piedras en la mano, las movió un poco y las dejó caer al agua.

—¿Te vas a bañar? —le preguntó—. Es que me está entrando un poco de frío.

—No creo que me bañe ahora. —Guille se abrazó a sí mismo, se le erizaba la piel del pecho—. Sí que hace un poco de frío, la verdad.

—¿Volvemos?

—Sí, ve tirando, ahora voy.

Al cabo de un rato, los tres chicos estaban durmiendo profundamente bajo la sombrilla.

Cuando se despertaron, se dieron cuenta de que habían dormido casi dos horas. Tristán se alarmó y miró el móvil inmediatamente.

M33. Estoy por acá. Vos?

10

El camino de rocas

—¡*M*ierda! —gritó Tristán—. Ya está aquí. ¿Qué le digo?

—¿Quién? —Se desperezó Guille.

—¿Dónde? —dijo Luis abriendo los ojos.

—No lo sé. Mateo me dice que ya está aquí.

—Dile que ahora sales de casa y que vas para la playa. Que te has liado a hacer cosas. O que has tenido un problema con…

—Nadie da tantas explicaciones —dijo Tristán.

J. Ei! Llego en nada. ¿Dónde te encuentro?

Los tres chicos miraban a su alrededor concentrados, cada uno en una dirección. Vieron parejas, chicos que no se le parecían, familias…

M33. Estoy acá, pasando la roca grande.
Más apartadito :)
Sombrilla naranja.

Tristán leyó los mensajes en voz alta. Miraron a su alrededor y se volvieron a fijar en la roca alejada, en la orilla, cada vez más cubierta por el mar. Vieron que en un lateral se abría un pequeño camino por donde varias personas entraban y salían.

—Vale, tenemos a Mateo en algún sitio detrás de esa piedra —dijo Guille—. Ahora solo nos falta esperar cinco minutos a que tu amigo Jona aparezca de la nada, le enamore con esos brazos y se vayan a su casa, cojan el ordenador y fin de la misión. Muy fácil todo.

—Creo que lo mejor será que… —dijo Luis bajando la voz—. Escuchadme.

Tristán y Guille acercaron sus cabezas.

—Id los dos paseando para allá. Como si estuvierais dando una vuelta. Cuando le veáis, o veáis la sombrilla naranja, os acercáis, habláis con él…

—Claro, como si fuera lo más normal del mundo —dijo Guille—. «Hola, pasábamos por aquí y nos hemos dicho: ¡Qué sombrilla tan bonita! ¡Parece una naranja de los campos de Benisanó! ¡Hablemos con este chico!».

Intercambiaron una mirada interrogativa.

—Tengo otra idea. ¿Y si le escribe Jona y le dice que está aquí, que vaya a buscarlo y entonces…?

—No —dijo Tristán—, tenemos que olvidarnos de Jona, básicamente porque no existe.

—Pero él verá que Jona está muy cerca —observó Guille.

Tristán levantó las cejas y los brazos en señal de inocencia.

—Pero eso es problema de Jona, que le miente —dijo muy serio—, no es problema nuestro.

M33. Me aparecés cerca, ¿ya estás por acá?

—¡Mierda! —se alarmó Tristán.

—Oh, no… —dijo Luis ajustándose las gafas y señalando la orilla con un gesto discreto—. Mirad ahí…

A unos treinta metros había un chico con un bañador blanco, iba con el móvil en la mano, venía del camino de la roca y avanzaba despacio fijándose en cada una de las sombrillas. Iba en dirección a las escaleras de la playa por donde ellos habían bajado.

—No lleva ni riñonera ni nada —dijo Tristán sin quitarle ojo a Mateo, que seguía alejándose—. Las llaves de su casa tienen que estar en su sombrilla. —Se levantó del pareo y se sacudió la arena del bañador.

—Tristán, no —dijo Luis.

—¿Qué vas a hacer?, ¿estás loco? —dijo Guille.

—Es ahora o nunca. Aseguraos de que no vuelva antes que yo —dijo mientras se iba—. Habladle o lo que sea...

Tristán echó a correr. Guille y Luis se quedaron como dos pasmarotes hasta que desapareció tras la enorme roca. Miraron hacia el otro lado, les costó localizar a Mateo entre la gente, pero al fin pudieron distinguir su bañador blanco. Estaba de pie en la orilla, quieto, de espaldas a ellos, hablaba por teléfono. Al momento, se dio media vuelta y empezó a andar en dirección a la roca.

—No, por favor... —se alteró Guille.

Quisieron llamar a Tristán, pero no se había llevado el móvil.

Tristán recorrió a paso más calmado el estrecho camino de arena que había entre las rocas para no llamar la atención. La marea estaba cada vez estaba más alta y era más difícil andar, el paso ya estaba siendo inundado por el agua. Se puso nervioso al comprobar que solo veía rocas, no había playa de arena ni sombrillas. Siguió avanzando cada vez más deprisa.

Tras superar un paso rocoso que se le hizo eterno, Tristán llegó a una playa de arena. Había poca gente, quizá porque no tenía un acceso claro. Contempló el panorama desde lejos, poniéndose la mano como visera.

Enseguida decidió acercarse a la zona donde estaban extendidas las toallas, paseando entre la gente, entre las sombrillas... Algunos bañistas le seguían con la mirada. Se dio cuenta de que era una zona nudista. Rastreó toda la playa, pero no encontraba la sombrilla de Mateo.

Finalmente, en un rincón un poco más apartado, como cobijado entre unas rocas, vio una sombrilla naranja, clavada en la arena pero cerrada. Al pie de ella no había nadie, solamente un pareo extendido en la arena y una mochila cerrada.

Guille y Luis, al otro lado de la playa, observaban a Mateo, que se iba acercando poco a poco a la gran roca. Fueron hasta la orilla para interponerse en su camino. Mateo andaba despacio, completando su reconocimiento.

95

Υ

Tristán se acercó hasta la sombrilla naranja. Un hombre, estirado a unos pocos metros, levantó la cabeza en su dirección.

Mateo estaba cada vez más cerca de Guille y Luis, que se colocaban estratégicamente en su camino. Mateo no había dejado de hablar por teléfono y no reparó en ellos.

Junto a la sombrilla naranja, Tristán rebuscó en la mochila. El hombre de la toalla más cercana se incorporó sin dejar de mirarle. Tristán percibió su actitud desconfiada, cogió la crema solar de Mateo y se puso un poco en la cara, aparentando normalidad, también se la extendió por el cuerpo.

96

Mateo ya estaba a escasos metros de Guille y Luis. Llevaba puestas las gafas de sol. Ellos se hacían gestos el uno al otro como si se preguntaran algo. Finalmente, Guille se interpuso en su camino, quieto frente a él, pero Mateo no reaccionó. Luis le preguntó qué había tras la roca y el argentino dejó de hablar unos segundos, les dijo que había una playa y siguió su camino.

Mientras tanto, Tristán registraba los bolsillos de la mochila.
—Perdona, chico —oyó una voz a su espalda—, ¿esta mochila es tuya?
—Eeeh… —respondió Tristán—, sí, es de mi novio. Ahora llega él.
—Me ha pedido que le vigile esto mientras no estaba —dijo el hombre, que no hablaba con mucha claridad.
Era delgado, no llevaba bañador, el pelo largo y despeinado, una cara morena y la barba sin arreglar. Tenía un brick de vino en la mano.

—Ya, gracias, pero no hace falta que le vigiles —dijo sonriente Tristán.

El hombre se acercó un par de pasos más, andaba con torpeza, tenía la mirada seria.

—Deja la mochila —le dijo alzando la voz; algunas personas se giraron—, y ya cuando venga tu chico, os apañáis.

Tristán terminó de rebuscar en los bolsillos sin encontrar ninguna llave. El hombre se le acercó aún más, con actitud amenazante. Tristán se levantó alzando las manos y se alejó de la sombrilla naranja despacio. Cada vez que se giraba, el hombre le hacía un gesto con el brazo como si le ordenara que se fuera.

—¡Mierda! —dijo Tristán apretando los dientes y emprendió el regreso.

Mateo había dejado atrás a Luis y a Guille. Al avanzar entre las rocas, fue perdiendo cobertura y finalmente colgó. Miró el móvil, no había ninguna notificación nueva. Le extrañó no saber nada más de su cita.

97

Tristán, desde el otro lado del paso, aceleró la marcha.

Sospechó que Mateo debía estar ya de vuelta, así que avanzaban, cada uno desde un extremo, hacia el inevitable encuentro.

Y en efecto, a lo lejos distinguió perfectamente su figura, rascándose la cabeza, inclinada hacia el suelo. Mateo andaba tranquilo, mirando las olas, girándose un poco de vez en cuando, como si se vigilara las espaldas.

El camino de arena era estrecho, limitado por rocas de poca altura. Tristán avanzaba ensimismado en sus pies, ya cubiertos por el agua, como fijándose en dónde pisaba. Mateo, en cambio, le observaba. Estaban a muy pocos metros. Mateo frenó aún más su paso, Tristán trató de acelerar.

—¿Tristán?

Él, sorprendido, cerró los ojos con fuerza.

—¿Hola? —Intentó su mejor cara de sorpresa.

—Hola, Tristán —dijo Mateo.

—¿Nos conocemos?

Mateo se rio. Tenía unos ojos brillantes, una amplia sonrisa.

—¿No te acordás de mí? Hace dos noches, en la fiesta del chiringuito, en serio, ¿no te acordás? Estuvimos juntos un largo rato.

11

Y si no me acuerdo, no pasó

A duras penas podía disimular Tristán que estaba atemorizado cuando Mateo se acercó para darle dos besos.

—La verdad es que… —dijo Tristán mientras se dejaba besar, impasible en apariencia— no, no me acuerdo… Lo siento.

Mateo le cogió del brazo para que se retiraran del agua y se apoyó en una roca sonriendo.

—Sí, bueno, estuvimos hablando…, durante bastante rato.

—¿Ah, sí? —respondió Tristán casi balbuceando—. Pero bueno, no te creas nada de lo que te dijera. Cuando bebo me invento historias…

—Y tanto que mentís… —Se rio Mateo.

Con los labios, Tristán dibujaba una sonrisa, con los ojos mostraba su temor.

—¿Y cómo sabes que miento?

Mateo tenía el pelo rapado, las cejas muy marcadas.

—Lo primero de todo, me dijiste que os quedabais en El Calipo a dormir, ¡mec! —imitó el sonido de error—, primera mentira, ¡ese hotel no está abierto!

—Bueno… —suspiró Tristán—, tal vez exageré. Es que dejamos la furgoneta ahí enfrente, aparcada. —Tristán intuía que algo malo iba a suceder—. ¿Y qué más te dije?

—Me contaste que estabas con dos amigos, a los que querías mucho.

—Eso sí que es verdad. —Se relajó un poco—. Luis y Guille. Somos muy buenos amigos.

—Que iban a ir a Benidorm, pero que al final decidieron venir acá abajo —continuó Mateo—. Que vinieron porque tienen una misión muy especial, que tenés que salvar a tu viejo y no sé qué más me contaste, que, obvio, no me creí.

Tristán se rio con la mirada perdida.

—Cuando bebo siempre hago lo mismo, me invento cosas. Pero bueno… Es que la verdad tampoco tiene nada de interesante. Somos tres amigos que estamos de vacaciones, fin.

Tristán se rio con la boca cerrada, emitiendo una leve risa por la nariz. Una media sonrisa se apoderó de Mateo mientras le observaba con atención.

—Te tiembla el labio, ¿tenés frío?

—Ah, no no…. Bueno, un poco, es que me he bañado antes y…, no sé, soy friolero.

Mateo le frotó el brazo con fuerza para darle calor.

—Es verano, no podés tener frío.

—Ya, ya…, es que… no importa. —Tristán se ruborizó y se estiró la camiseta cubriendo la parte delantera de su bañador—. Pues la única verdad es lo de mis amigos —dijo cogiendo aire—. Sí que nos íbamos a ir a Benidorm, pero de camino descubrimos estas playas y dijimos ¿y por qué no? Y nos vinimos.

—Ah, genial, son relindas. ¿Y seguís durmiendo en la furgoneta?

—Bueno… —titubeó Tristán—, de momento sí…, estamos durmiendo ahí, luego nos colamos en el camping, o donde pillemos, para ducharnos…

—Si necesitás algo, una ducha relajada o algo, podés venir a mi casa.

—No, hombre, no. Bueno, no sé… —se lo pensó mejor—, que a lo mejor mis amigos sí que quieren, no sé…

—Hoy mejor no, que tengo visita, viene un primo mío, pero si mañana quieren, me decís.

—Pues muchas gracias. —Sonrió Tristán—. A lo mejor mañana, que estaremos un poco más cansados, nos vendrá bien una ducha relajada.

—Dale —insistió Mateo—, mi número ya lo tenés.

—¿Cómo? —se sobresaltó Tristán.

—Claro, no te acordás tampoco.

Mateo sacó su teléfono y le dictó cifra a cifra su número. Tristán le dijo que era correcto.

100

—Tengo el móvil en la sombrilla, escríbeme por si no lo apunté... Una pregunta, aparte de todas las mentiras que te conté, ¿pasó algo más? Ya me entiendes...

Mateo soltó una carcajada.

—¿No te acordás absolutamente de nada?

Tristán volvió a ruborizarse mirándole el cuerpo.

—Nos dimos un par de besos —dijo Mateo con voz dulce—, después me dijiste que preferías no seguir hasta que nos conociéramos un poco mejor.

—Eso sí que no es típico en mí —aseguró Tristán con las cejas levantadas.

—¿No? Me pareció relindo.

—No suelo posponer según qué planes.

—Pues ahora ya sí que nos conocemos un poco mejor.

—Ahora sí, la verdad..., ya nos conocemos un poco más. —Tristán hizo ademán de irse—. Te digo algo mañana.

—Dale —respondió Mateo—, estamos hablando.

Se despidieron con un beso cerca de los labios y dedicándose una larga sonrisa. Tristán se dio la vuelta y caminó deprisa hacia la playa donde estaban sus amigos. No se volvió ni una sola vez, Mateo también siguió su camino hacia la sombrilla naranja abandonada.

—No os lo vais a creer —dijo al llegar junto a Guille y Luis.

Inmediatamente cogió el móvil y abrió el GuAPPe:

J. Ei Mateo, perdona, al final he tenido que volver a casa.

—Pero ¡cuenta! —dijo Guille—, ¿qué ha pasado?, ¿tienes las llaves?

—¡No!, he ido a su sombrilla y las iba a coger pero me ha pillado uno, y he tenido que volver, pero...

—Pero ¿qué? —preguntó Luis.

—Al volver, me lo he encontrado.

—¡Lo sabía! —dijo Guille—, ¿y qué?

Les contó todo el episodio. Tanto Luis como Guille dijeron no recordar haber visto a Mateo aquella noche.

—Pues parece que íbamos bastante peor de lo que pensábamos —dijo Luis—. Pero si te ha ofrecido su casa para ducharnos, es que le has molado, Tristán. Tíratelo y róbale todo —propuso Luis.

—Pero no te enamores del asesino —bromeó Guille.

—¿Qué asesino? —dijo Tristán entrecerrando los ojos—. Él no ha hecho nada.

—¡Uuuuuh! —saltó Luis—, que a Tristán le ha gustado M33.

—¡Que no!

—Ten cuidado —dijo Guille—, no la cagues ahora.

—¡Que no voy a cagarla! Me ha dicho que hoy no nos invitaba a casa porque tenía visita. Lo decía por Jona, estoy seguro. Pero Jona le acaba de decir que no va a aparecer, que ha tenido que volver a su casa.

—¿Entonces…?

—Tengo que escribirle mañana.

—¿Y te lo tirarás? —insistió Guille.

—¡Y yo qué sé! Eso es lo de menos —Tristán se puso serio—. Lo importante es meternos en su casa. Voy a llamar a mi padre, seguro que me dice algo que nos pueda ayudar.

Cogió el teléfono. Vio un nuevo mensaje:

MATEO. Genial haberte visto.

TRISTÁN. Pues sí que te tenía guardado jeje.

Igualmente, estaremos un rato por aquí.

Llamó a su padre.

—Papá, ¡no te lo vas a creer!

Antonio no respondía. Tristán escuchó un largo silencio.

—¿Papá?

—Tristán —saludó por fin con voz entrecortada y respirando fuerte.

—¿Te pasa algo?

—Tristán, no puedo hablar ahora.

—Papá, ¿estás bien?, ¿qué te pasa?

—Nada, hijo…, es solo…

—¿Es por mamá?

—¿Te ha dicho algo ella?

—¿Qué pasa, papá? ¿Me puedes explicar de una vez qué está pasando? Llevas semanas sin hablar, lamentándote. Parece que no queráis hacer nada para encontrar una solución. Sea lo que sea, quiero ayudarte.

—Tristán… —dijo lentamente—. Merezco que tu madre me abandone y que tú no me ayudes. Disfruta de tus vacaciones y olvídate de todo esto.

—No, hasta que me digas qué pasa.

Estuvieron en silencio un rato. Tristán contemplaba el mar, la playa, la gente. Vio a sus amigos tumbados en la arena, luego giró la cabeza hacia el camino de rocas, allí estaba Mateo. Salía con la sombrilla, la mochila y una camiseta puesta.

—Tristán, siempre he querido ser un ejemplo para ti…, pero tal vez me toque reconocer también mis errores.

Mateo vio a Tristán y le saludó desde lejos con la mano. Tristán levantó tímidamente la suya.

—Papá. —Se dio la vuelta dando la espalda a Mateo—. Cuéntamelo.

—Yo he querido siempre mucho a tu madre, la quiero. Y créeme que la respeto.

—Ya lo sé, papá, claro que lo sé, pero ¿a qué viene esto ahora?

—Si tu madre quiere dejarme, es porque descubrió que…

Se quedó en silencio. Mateo estaba cada vez más cerca de Tristán. Le sonreía y con gestos le pedía permiso para acercarse. Tristán le indicó que esperara un momento.

—Una noche, estuve con otra mujer, Tristán. Engañé a tu madre.

—Pero… ¿cómo has podido? —Tristán expresó su rabia.

—Lo sé, hijo. Por eso, deja de meterte en líos por mi culpa.

A Tristán le asomaba una lágrima.

—Pero… ¿y mamá?, ¿cómo haces esto, papá? —dijo casi sollozando.

—Lo siento, de veras que lo siento.

Tristán se quedó mirando el mar, triste. Colgó el teléfono. Cogió una piedra y la lanzó al agua gritando.

—¿Te pasó algo? —Mateo se acercó.

Tristán se dio la vuelta. Se secó los ojos.

—Eeeh…, no, nada. Un amigo que…, que es un gilipollas.

103

—Ah, ven acá, no te preocupés.

Mateo hizo ademán de abrazarle.

—Al final no tengo visita hoy —dijo—. Si quieren, vengan a casa, podemos hacer cena, descansan allá…

Tristán le apartó con el brazo, todavía estaba cargado de furia. Tragó saliva y respiró hondo.

—Te lo agradezco —dijo—, pero creo que… no nos va a hacer falta.

—¿Cómo?

—Que creo que… ya no hace falta que vaya a tu casa, ni hoy, ni mañana, ni… yo qué sé. Ya nos ducharemos en el camping o donde sea.

Mateo mostró su clara decepción.

—Ah, como querás…

—Ya nos vemos otro día, si eso. —Tristán miraba hacia otro lado, a la playa, a sus amigos.

—Me marcho, pues.

—Eso, venga, ya hablamos. —Tristán se dio media vuelta y se sentó en la orilla del mar, escondiendo la cabeza entre los brazos.

Mateo se fue andando por la orilla, girándose alguna vez. Tristán seguía sentado mirando el mar. Al cabo de un rato, se volvió con sus amigos.

Dos días más tarde

—Dispárame, por favor —le rogó Tristán—. Es lo único que nos puede salvar.

Guille sujetaba el arma horrorizado. Poco a poco fue levantando el brazo. Apuntó a Tristán. Dejó de temblarle el pulso.

Contó hasta tres.

12

A la mierda

Estaban sentados en la terraza de la Miami, en una de las mesas de madera, a punto de cenar. Los tres se habían puesto el mismo tipo de camisa, manga corta, muy colorida.

—Parecemos las tres mellizas —dijo Luis mirando una foto que se acababan de hacer.

—Entonces, ¿la noche de luna llena nos bañaremos en la playa o no? —dijo Guille entusiasmado.

—Y dale —respondió Luis—. ¿Tanta ilusión te hace?

—Bueno, mientras para ti es un fenómeno astronómico que sucede una vez cada no sé cuánto, para mí es una noche mágica de luna llena. Tú le ves el lado científico, yo le veo el lado mágico. ¿Qué le hago?

—Eres un romántico.

—Prométeme que nos bañaremos. —Levantó su copa de cerveza.

—Lo promeeeto. —Luis brindó con él.

—Tristán, ¿me lo prometes?

Tristán leía la carta tapándose la cara con ella. No escuchaba la conversación de sus amigos, en la foto que se habían hecho no salía sonriendo.

—Venga, Tristán, anímate un poco, ¿no? Estamos hablando de la luna azul.

—¿Quieres que me anime? —respondió dejándose ver tras la carta—. En septiembre mi padre se va a arruinar, puede que vaya a la cárcel, mi madre lo quiere dejar y hoy me entero de que es porque mi padre es un hijo de puta que le puso los cuernos. —Levantó la cerveza—. Brindemos, ¿no? Por la familia.

Luis y Guille no brindaron y bajaron sus copas.

—¿Tres hamburguesas? —preguntó el camarero—. ¿Muy hecha, al punto y con la vaca pastando?

—Y con todas las salsas que tengas —dijo Guille—. Todas.

El camarero se fue hacia la barra.

—Tristán, entiendo que sea duro —dijo Luis—. Pero... tienes que dejar de pensar en lo malo que haya podido hacer tu padre.

—Luis, ahora consejitos no, por favor.

—No son consejitos, es lo que pienso, ahora no puedes mandarlo todo a la mierda.

—¿Cómo? —respondió enfadado—. Es que es lo que voy a hacer. No pienso jugarme el cuello, ni que os lo juguéis vosotros, por alguien que no se merece ya ni que le mire a la cara...

—No te pases —dijo Guille.

—¿Que no me pase? —gritó intentando no alzar mucho la voz—. No sabéis lo que es ver cómo tu familia se va a la mierda, de un día para otro. —Tristán no podía contener el llanto—. Es que no puede ser, hace unas semanas estábamos bien. Siempre hemos estado bien. Y ahora mi padre lo pierde todo, mi madre no se inmuta, luego es porque mi padre ha estado con otra. No hace ni una semana que me despedí de ellos, y estaba todo normal. Es como si de repente..., siento como si nada hubiera sido de verdad.

—¿Y qué esperabas? —Guille se puso serio—. Ser siempre la familia feliz, los papis y el hijito...

—Ríete, pero siempre ha sido así.

—¡Eso es lo que tú te crees! Pero en todas las familias hay mierdas, y llega un día en que te das cuenta de que... tus padres no son Superman..., que son gente normal, que a veces hacen las cosas bien, otras veces la cagan...

Luis sonreía mientras escuchaba a Guille. Tristán no levantaba la mirada de la mesa, tenía los ojos rojos, llorosos.

—Pero es que no quiero que se desmonte lo que tenemos —se le agravó la voz—. No quiero perderlos...

—Es que no los vas a perder —dijo Luis—. Solo tienes que aceptar que tus padres también tienen sus cosas, como tú. ¿O eres el hijo perfecto?

Tristán se rio.

—Tu padre es la hostia —dijo Guille—, ojalá me hubiera dicho el mío lo que te dijo a ti en su día.

—¿Qué te dijo? —preguntó Luis.

Tristán se sonó la nariz y se limpió las lágrimas. El camarero dejó las tres hamburguesas en la mesa.

—Gracias —dijo Tristán con la boca pequeña.

—Cuéntaselo —dijo Guille mientras se echaba salsa barbacoa en la hamburguesa.

Tristán, sin apenas mirar la comida, sonrió.

—Cuando tenía trece años… Estábamos en un bar, bueno, en una cafetería. Era verano, en Barcelona. Mis padres trabajaban y no nos fuimos a ningún sitio de vacaciones. Pero bueno, eso da igual. Total, que estábamos desayunando un cruasán en una cafetería cerca de casa. Él me contaba cosas del trabajo que a mí me aburrían soberanamente. Entonces, en la mesa de enfrente, se sentó un tío…, yo no sé si es el recuerdo que tengo, o es que era un dios griego, pero estaba tremendo… Tendría unos dieciséis años, no más, pero a mí me parecía mayor… Se puso con el ordenador, los cascos, se pidió un café helado de esos en vaso enorme, con espuma y nata, no sé, una fantasía… El chico estaba solo, llevaba una camiseta de tirantes y cada vez que movía un brazo era como si yo quisiera ver algo más… Hacía calor, estaba medio sudado…

—¿Y lo notó tu padre? —preguntó Luis.

—Mi padre, en algún momento se dio media vuelta, en plan «¿Qué miras?». Y vio a aquel tío. —Tristán se reía ruborizado—. Yo me moría de la vergüenza. Después me miró muy serio, la verdad, me cagué un poco…

—¿Y qué te dijo?

—¡Espera, Luis! —dijo Guille—. Deja que lo cuente.

—Primero me dijo que me limpiara los morros, que los tenía llenos de chocolate. Me pasé la servilleta esperando que no me hubiera visto aquel chico. Luego me preguntó: «¿Te gusta?». —Tristán reproducía los gestos que haría Antonio aquel día—. Yo no le respondí, no sabía dónde meterme. Pero me lo volvió a preguntar: «Dime, Tristán, ¿te gusta ese chico?». Yo no sabía dónde meterme, ¡tenía trece años!

—¿Y qué le dijiste?

—Joder, Luis, deja que lo cuente.

107

—Pues…, muerto de la vergüenza, que estaría más rojo que este kétchup, le dije que sí…, pero un sí como si hubiera robado algo.

—Ahora ahora… —dijo Guille emocionado.

—Entonces fue cuando me miró a los ojos, no recuerdo otra vez que me haya mirado tan fijamente. Hasta podía oír su respiración. Me dio incluso un poco de miedo. Hasta que, al final, dijo: «Pues di: "Sí, me gusta, y al que le moleste, que se vaya a la mierda"». A mí me entró la risa. Pero mi padre no paró hasta que consiguió que lo dijera en voz alta.

—¿Y qué pasó con el chico? —preguntó Luis.

—Al cabo de un rato llegó su novia —dijo con cara de empalago—. Mi padre le vio y me dijo: «Creo que ya nos podemos ir». Nos levantamos y recuerdo el achuchón que me dio al salir.

Se rieron y empezaron a comer las hamburguesas. Luis miró a Tristán.

—Pues ese también es tu padre —dijo con la boca llena—. El señor Ayala… Un hijo de puta, puede ser, pero que también tiene sus cosas buenas. Y a ti te ha querido siempre.

—A lo mejor ahora te toca a ti ponerte la capita de Superman —dijo Guille—. Los calzoncillos no hace falta, ponte algo más sexi, puedes innovar. Pontes los bóxer de sandías que tienes.

—Pero es que no deja de darme mucha rabia, es un cabrón.

—Y tú también lo has sido muchas veces —dijo Luis—, todos lo somos.

—Y lo que ha hecho, está mal —dijo Guille—, pero tampoco es como para que vaya a la cárcel.

Tristán dejó la hamburguesa en el plato y bebió un sorbo de cerveza.

—Puede que tengáis razón —dijo limpiándose los morros con la servilleta y sacando el móvil—, ya le mandaré a la mierda más adelante.

> TRISTÁN. Mateo, perdona por lo de antes.
> Un amigo me había dado una mala noticia.
> Me quedé un poco rayado.
> MATEO. Nada… qué pasó?
> TRISTÁN. Ya te contaré. Sigue en pie una cena en tu casa? XD

Aquella noche la volvieron a pasar en la furgoneta, enfrente del hotel El Calipo. Al día siguiente, fueron a una playa que les habían recomendado los gallegos. Estaba a tan solo un par de kilómetros de El Palmar, pero el acceso por carretera, un camino largo y de curvas, hacía que pareciera muy lejana. Al aparcar, aún tuvieron que andar un rato por un sendero poco cuidado. Finalmente, llegaron y pusieron sus pareos en la arena. Tristán no había recibido respuesta de Mateo.

TRISTÁN. Mateo, te va bien que nos veamos esta noche?

—Joder, desde ayer que no me responde —dijo Tristán levantando la cabeza del pareo.

—Normal, pasaste de él como de la mierda —dijo Guille—. Al menos, por la noche dormiremos en el bungaló. ¿Te han confirmado, Luis?

Luis estaba hablando por teléfono. Les pedía con la mano que bajaran la voz mientras los miraba con cara de agobio separándose el teléfono de la oreja. Se acercó el auricular otra vez.

—Mario, de verdad —dijo en tono alto y hablando deprisa—, ya hablaremos en otro momento más tranquilos. Además aquí te pierdo, estamos en una playa, apartados, y la cobertura no llega casi, tengo una raya solo. Te llamo más tarde... Sí..., ayer no pude al final. Lo sé, sí. Bueno, hablamos más tarde, que de verdad casi no te oigo.

Luis colgó el teléfono y se quedó mirando al frente con cara de enfado.

—¿Todo bien? —le preguntó Tristán.

—Sí, pero es que... —Luis resopló—, si fuera por Mario estaríamos hablando cada cinco minutos.

—A lo mejor es porque te quiere y por eso quiere hablar contigo —dijo Guille—, no es tan difícil de entender.

—Bueno, pero estoy de vacaciones, con vosotros, desconectando... —Luis escondió la cabeza entre los brazos.

Los tres chicos estaban estirados boca abajo y se habían quitado el bañador. En la playa no había nadie más.

—Luis —preguntó Guille—, ¿estás seguro que esta es la playa que te dijeron los gallegos?

—Diría que sí, era pasada la valla que hemos visto antes..., no sé...

—Es que no hay nadie —dijo Tristán—. Y es la una, debería estar lleno de gente.

—Lo sé —dijo Luis mirando el móvil—, según dijeron, es una playa nudista que se suele llenar de gente... y que había un chiringuito.

—Pues ni gente ni chiringuito, y los únicos nudistas somos nosotros. Que nos empezamos a tener muy vistos ya.

Se incorporaron a la vez apoyándose sobre los codos para observar la playa desierta. Era pequeña, con acceso complicado al mar y flanqueada por colinas con hierba crecida. Sobre la arena, había piedras gruesas y troncos finos. Estaba nublado y corría aire.

—Es que hasta tengo un poco de frío —dijo Guille.

Se miraron entre ellos sin decirse nada, levantando las cejas y arrugando los labios. Se volvieron a dar media vuelta y se estiraron boca abajo. Guille se puso los cascos y cerró los ojos. Luis leía su revista de ciencia. Tristán miró el móvil, seguía sin respuesta para la noche. Finalmente lo guardó.

—Luis, ¿todo bien con Mario?

—Da igual, que cada vez que digo algo parece que sea un monstruo.

—¡No es verdad! —dijo Tristán como si quisiera gritar, pero susurrando—. Eso es Guille, que todavía cree que el amor es..., vamos, que todavía cree en el amor.

Luis jugaba con los dedos con la arena que tenía frente a su cara.

—A ver, yo también creo en el amor, y creo en mi amor por Mario.

—Ya lo sé —dijo Tristán entrecerrando los ojos—, exageraba un poco.

—Yo quiero a Mario, y le quiero con locura, y sin locura. —Se rio—. Le quiero, simplemente, le quiero y quiero estar con él, vivir con él. De hecho, esto no lo digas, pero...

—¿Qué pasa? —Tristán acercó su cabeza a la de Luis.

—En realidad, tengo clarísimo que quiero casarme con él.

—¿Entonces? —se alegró—. ¿A qué viene tanto problema?

—Pues que parece que nadie entienda mi forma de ser, ni

110

mi forma de querer. —Se puso serio—. Y me da miedo que él no la entienda tampoco.

—A qué te refieres, ¿a liarte con otros?

Luis cogió una pequeña concha y empezó a darle vueltas entre los dedos.

—¿Tan grave es? Lo que siento por él es amor puro, para mí lo es. Me gusta él, me encanta estar con él, adoro el sexo con él. Quiero seguir viviendo con él, trabajando, viajando, me encanta pasar el tiempo con él. Pero es que tengo ojos en la cara, y sigo teniendo sangre en las venas, y es algo que no tiene nada que ver con los sentimientos. Igual que puedo cenar contigo una noche, ver una peli con alguien, salir a correr…, ¿qué hay de malo en tener, de vez en cuando, algo con otra persona?

—Pues que parece que no estés satisfecho.

—¿En serio lo ves así? ¿Es más importante el sexo que todo lo demás que pueda compartir con él?

—No, pero es importante.

—Acuérdate de lo que me decías de tu ex.

—¿Hace falta hablar de ese hijo de la grandísima…?

—Perdón, pero solo una cosa, ¿a ti qué te jodía de él?

—Todo.

—Según tú, jamás te fue infiel. Pero cuando ganaba un partido, lo celebraba con sus amigos; cuando conseguía entradas para un concierto, iba con su amigo ese raro.

—Menos follar, todo lo hacía con sus amigos —reflexionó Tristán—, eso es verdad. Él tenía su vida por un lado y aparte me tenía a mí.

—Pues yo jamás separaría a Mario de nada que tenga que ver con mi vida.

Ambos se miraron como si fueran a seguir argumentando.

—Tristán, para, por favor —los interrumpió Guille sin levantar la cabeza pero sí la voz.

—¿Que pare de qué?

—Deja mi pie…

Tristán no entendía de qué hablaba y giró la cabeza hacia atrás. Una enorme vaca marrón estaba oliendo los pies de Guille.

—¡Guille! —le llamó en un susurro quitándole los cascos—, no te muevas.

111

—¿Qué pasa? —Levantó la cabeza y vio al animal detrás de él.

—Mantente quieto —dijo Luis—, si no te inmutas no te hará nada. Reaccionan al miedo.

Guille cerró los ojos con expresión de terror.

—Te estás vengando, vaca, lo sé, no me comeré más amigas tuyas…

Tristán y Luis estaban aguantándose la risa.

—Por favor…, vaca…

Aquel animal marrón, al que se le marcaba el esqueleto, tras haberle olido bien los pies, empezó a lamerle las pantorrillas. Guille se quedó inmóvil salvo para cruzar los dedos de las dos manos. Luis la miraba de reojo y comentó muy bajito:

—Están realmente escuálidas estas vacas…

En ese momento el animal dejó de lamer y miró fijamente a Luis. A Guille se le alivió la expresión. Pero enseguida volvió a arrimar el morro a las piernas de Guille, oliéndole los muslos. Él se tapó la cara con la mano aguantando la respiración. La vaca le lamió las dos piernas y empezó a subir la lengua hacia su tronco.

Guille no pudo más: pegó un salto y se fue corriendo por la playa. La vaca salió tras él. Él gritaba, daba vueltas sobre la arena, pero la vaca no le perdía el rastro. Al final, Guille se metió en el agua.

Tristán y Luis cogieron el palo de la sombrilla y se acercaron despacio por detrás del animal.

La vaca hacía ademán de entrar en el agua, pero cuando las olas le mojaban las pezuñas, retrocedía.

—¡Vete, vaca! —gritaba Guille—, ¡vete con ellos!

—Es que no se puede estar tan bueno —gritaba Luis riéndose—, le van los musculitos.

A Guille ya le cubría hasta el pecho. Temblaba de frío.

—¡Vete, vaca, por favor!

Finalmente, aquella flacucha vaca marrón se dio media vuelta y retrocedió hacia un camino que llevaba a los pastos cercanos. Pero Guille, aún tiritando de frío, no se movía del agua.

—¡Ya puedes salir! —gritó Tristán.

—Hasta que no desaparezca del todo, no me muevo de aquí.

—Mejor que salgas del agua —dijo Luis—, porque creo que están viniendo más.

No hizo falta más. Guille avanzó todo lo deprisa que pudo hasta la orilla, echó a correr hasta donde tenían las cosas y se puso a recoger las suyas apresuradamente.

—¡Vámonos, esta playa es una mierda!

Tristán y Luis se reían. Guille se acercó a un cartel sujeto a un poste.

—¡Me cago en ti, Luis!

En el cartel se veía un triángulo rojo con la figura de una vaca en el interior, además de una advertencia: «Área privada, prohibido el acceso».

Guille fue por delante, Tristán y Luis le siguieron con el resto de cosas hasta la furgoneta.

—¿Venir hasta aquí para esto? —Guille estaba indignado—. Les dices a los gallegos que se metan las vacas por...

—¡Era aquí! —dijo Luis señalando otro cartel que indicaba una playa cercana.

—¡Ahora nos vamos! —dijo Guille con cara de asco—. ¡Necesito ducharme, desinfectarme y fumigarme el culo! ¡¡¡Qué asco!!!

Antes de subirse a la furgoneta, sacaron la comida que habían comprado y montaron un pequeño banquete en el aparcamiento de aquella playa. Guille estaba indignado, Luis no paraba de reírse, al igual que Tristán, hasta que recibió un mensaje, y le cambió la cara de golpe.

MATEO. Claro, vengan a mi casa. Esta tarde les va bien? podemos hacer barbacoa.
Mi vieja y su pareja se van. Seremos los 4.

Tristán miró a sus amigos.

—Ha llegado el momento. Esta tarde nos metemos en casa de Olegario.

13

Nos vamos conociendo

*I*ban en la furgoneta, volviendo hacia El Palmar. Tristán conducía serio. Luis, desde el asiento trasero observaba la carretera. Guille, desde el asiento del copiloto, miraba embobado por la ventanilla.

—Entonces —dijo como si despertara—, ¿cuál es el plan?

Luis se rio.

—Lo primero y más importante es que te puedas duchar.

Guille hizo una mueca imitando lo que acababa de decir.

—Lo segundo es que Tristán se chusque a Mateo, que se muere de ganas.

—No te diré que no… —dijo el aludido entre risas.

—Y, lo tercero, y menos importante, es que necesitamos meternos en un ordenador cuya contraseña creemos que es la misma de hace siete años.

Tristán volvió a ponerse serio.

—Me jugaría lo que sea a que no la ha cambiado, la tecnología jamás fue lo suyo. En ese ordenador habrá algún documento, *mails* o algo, por más mínimo que sea, que le relacione con Apartamentos El Faro. Con eso, mi padre estaría más cerca de salvarse.

—Pero eso lo tendrá escondidísimo.

—Conociéndole, dudo que sea tan difícil. Hay que conseguir documentos o algo que le relacionen con DLS.

—¿DLS? —preguntó Guille—, vaya nombre más feo para una empresa.

—Entonces… —dijo Tristán—, vamos a su casa. Débora y Olegario no van a estar. Cuando lleguemos, le propondré a

Mateo que vayamos los dos a comprar algo para la barbacoa y le explico lo de mi amigo.

—¿Qué amigo? —preguntó Guille.

—Nada, me inventaré una historia. Os aviso cuando estemos lejos. Y ahí podréis buscar.

—¿Quieres que nos metamos en su ordenador? —preguntó Guille.

—Seguro que lo tiene hasta encendido —dijo Tristán entre risas—. Yo os avisaré cuando volvamos a casa, para que estéis en la ducha o preparando algo y como si no hubiera pasado nada.

La carretera de vuelta a El Palmar estaba un poco colapsada y el trayecto se hizo un poco más largo. Mateo les envió la ubicación de su casa, y al cabo de casi una hora Tristán estaba aparcando delante de la puerta en una calle residencial, apenas transitada y sin asfaltar. Y con muchos muros que aparentemente vallaban grandes casas con jardines.

—Vamos allá —dijo mientras mandaba un mensaje para avisar que habían llegado.

A los pocos segundos, salió una mujer de la casa de Mateo, miró hacia los lados hasta que vio a los chicos y los saludó. Los tres se quedaron inmóviles sin apearse siquiera. Sin apenas mover los labios, Tristán dijo:

—¿Es Débora?

—Sí —respondió Guille—, y como me vea, me va a reconocer.

—¿Qué coño hace aquí? —preguntó Luis.

—Ni puta idea, Mateo me ha dicho que pasaban la noche fuera.

—¿Te conoce?

—No nos hemos visto nunca, no debería…

Débora se acercó a la furgoneta con una gran sonrisa.

—Chicos, son los amigos de Mateo, ¿cierto? —dijo amablemente—. Se está duchando, me pidió que los recibiera.

Los tres amigos se bajaron, pero no se atrevieron casi ni a contestar.

—¡Pero bueno! —dijo mirando a Guille—, ¿vos no sos…?

—¿Tú eres la de la gasolinera? —disimuló Guille.

A Débora le ilusionó mucho el reencuentro. Guille continuó con su forzada sorpresa.

—¿Quién es Luis? —dijo Débora.

—Yo, ¿por qué?

—Porque me tomé tu cerveza, espero que no te importe, ¡te debo una! —bromeó.

—Yo soy Tristán, encantado.

Débora le miró de arriba abajo. Le saludó sin apenas entusiasmo y miró a Guille.

—Nos dijo Mateo que estaba solo, por eso nos hemos sorprendido un poco de verla.

—¿Me estás echando de mi propia casa?

Ni el comentario de Tristán ni la respuesta de Débora sentaron demasiado bien.

—Iba a ir a Sevilla con mi marido, pero al final decidí quedarme, que quería playa. Además, este jardín está totalmente desatendido y lo quería cuidar. Si no os importa, os acompañaré en la barbacoa. ¿Han probado las hamburguesas de acá?

Tristán y Luis miraron a Guille.

—Eeeh…, ¿no? No…, no hemos comido hamburguesa aún, ni hemos visto ninguna vaca aquí, y tampoco se nos ha acercado ninguna.

—¡Te encantarán! A los tres —dijo Débora animada yéndose hacia la puerta de su casa.

—Creo que aún va borracha —dijo Guille.

Mateo, recién duchado, le explicó a su madre cómo los había conocido, le contó que no tenían dónde quedarse y que estando en la playa con ellos le habían parecido muy buenas personas, por eso quiso invitarlos a cenar. A Débora se la veía encantada con la visita. Les enseñó la casa: un gran ventanal separaba el salón del jardín; a un lado, había una cocina americana. En el pasillo de la planta baja les indicó dónde estaban el baño y la habitación de Mateo. Unas escaleras, por las que no subieron, llevaban a un estudio y a la habitación de Débora y Olegario.

Tristán, Luis y Guille no perdían detalle de cada rincón.

—¿Tiene despensa esta casa? —preguntó Luis.

—¿Cómo? —se extrañó Débora.

—¿Os habéis fijado que se están perdiendo las despensas? —dijo él con aplomo, acercándose a una puerta cuyo interior no les había enseñado—. En casa de mi tía teníamos despensa. A mí me encantaba, ese olor a cerrado pero limpio a la vez, ese lugar fresco a pesar del calor en toda la casa... Esa sensación de que había reserva de alimentos, botes de conserva, paquetes de pasta y arroz, y allí, escondido, se guardaba el chocolate.

—Qué va, no tenemos —dijo Débora.

—Pues aquí podríais montar una —dijo Luis poniendo la mano en el pomo de la puerta.

—Acá no se entra —dijo Mateo entre risas.

—Ah, no no —le apoyó Débora—, acá es el despacho de mi marido. Bueno, el despacho lo tiene en Barcelona, acá solo tiene algunos negocios. —Hizo el dibujo de las comillas levantando los dedos—. Pero es su templo, no entra ni el gato, que no tenemos...

—¡Uuuh! —Sonrió Luis mientras miraba a sus dos amigos.

—Chicos —Débora cambió de tercio—, les voy a hacer barbacoa. Pero uno de ustedes me tiene que acompañar a por carne.

—Muchas gracias, Débora —respondió Tristán educadamente—. Pero no queremos abusar. Con una duchita ya tenemos más que suficiente, podemos cenar fuera si queréis...

—No es abuso —dijo Mateo—. Venga, quédense.

—Venga —insistió Débora—, que estoy aburrida de ver a mi hijo, ¡quiero caras nuevas!

—Yo te acompaño a comprar, si quieres —se ofreció Guille.

—¡Dale!

—Y, si eso, nos tomamos una cañita.

—¡Por favor, sí! Vos sos de los míos.

—Pero necesito ducharme rápido, antes que nadie, si no os importa.

Débora se fue a su habitación. Los demás se quedaron en el salón. Tristán y Mateo se dedicaban miradas cómplices con alguna caricia sutil.

—Cuando Guille se vaya a comprar con Débora —dijo Luis mientras miraba a la pareja—, yo me puedo meter en la ducha... Y vosotros estaréis un buen rato solitos...

Mateo sonrió. Tristán le miró serio.

Al cabo de unos minutos Débora volvió a aparecer con un vestido de flores, muy colorido. Guille salió de la ducha con una amplia sonrisa.

Mateo cogió una toalla y se la dio a Luis:

—Pues acá tenés.

—Por mí… —insistió Luis—, no tengáis prisa.

Guille, mientras salía con Débora, les recordó que estaría pendiente del móvil por si necesitaban algo. Luis dijo que se iba a duchar tranquilamente. Tristán y Mateo esperaron a quedarse solos y fueron a la habitación de este.

—Al final, conseguimos estar tú y yo solitos —dijo Mateo mientras besaba los labios de Tristán.

—Sí… —respondió acariciándole el cuello, con la mirada perdida.

—Aunque en realidad te conozco poco —dijo Mateo besándole la mejilla.

—¿Qué quieres saber…? —respondió Tristán.

—¿Qué me querés contar?

—No sé…

—Cómo te llamás, tu edad…

—Me llamo Tristán Ayala Durán, ¿y tú?

—Yo soy Mateo Leonardo Solís.

—Anda, ¿tu padre era italiano?

—Llevo los dos apellidos de mi mamá. Una larga historia. Pero bueno, ya nos conocemos un poco mejor.

Mateo le dio otro beso en los labios. Con las yemas de los dedos, Tristán le acarició el torso a través de su fina camiseta de tirantes, le palpó todas las curvas de su pecho, de su abdomen, de su cintura…

Oyeron a Luis cerrar con el pestillo la puerta del baño y también cómo el agua de la ducha empezaba a correr.

—¿Te parece si ponemos música? —propuso Tristán al oído.

—Sí, seguro —respondió susurrando.

Mientras tanto, en el supermercado, Débora parecía estar muy preocupada.

—Guille, tú no te acordás de lo que te conté en la gasolinera, sobre mi futuro marido, ¿verdad que no?

119

—No recuerdo absolutamente nada de lo que me dijiste —le respondió con complicidad—. Tú tampoco recuerdas lo que te conté, ¿verdad?

—¿Sobre tu amigo Tristán? —Negó con la cabeza—. No, no recuerdo nada.

Mateo había traspasado la goma del bañador de Tristán y con sus palmas le acarició los glúteos, uno con cada mano.

Con delicadeza, recorrió toda la cintura llegando, con sus dedos, al nudo del bañador. Tiró del cordón dejando que la goma cediera. Poco a poco se lo empezó a bajar. La veloz excitación de Tristán le había puesto tan duro que obstaculizaba las intenciones por parte de Mateo de desnudarlo por completo, pero este no tardó en ayudarse de la otra mano, acariciándole con mimo. Después se agachó y tras deleitarse viendo su fuerte erección, la recorrió rozándola con los labios, la palpaba con las mejillas, la sentía suave entre sus dientes, la saboreaba dejándose invadir el paladar.

Tristán tenía los ojos entrecerrados, miraba al techo, sonreía, acariciaba con las dos manos la cabeza a Mateo, bajaba la mirada.

—Más alta, pon la música más alta —le dijo.

El anfitrión subió el volumen y empezaron a besarse con más pasión, con más desenfreno.

Sin cerrar el grifo de la ducha, Luis se puso una toalla en la cintura y salió con extremo sigilo del baño hacia el salón. Fue directo al despacho de Olegario.

—¿En qué trabajás, Guille? —le preguntó Débora mientras terminaban de hacer la compra.

—¡La pregunta del millón! De camarero, trabajo en eventos, no sé, de lo que me sale.

—Interesante. Apuntá mi número. Mi marido tiene negocios en Barcelona, siempre necesita gente. Vos parecés bueno.

Υ

En la habitación, la música sonaba muy alta. Mateo había desnudado completamente a Tristán y ahora era este quien le quitaba la ropa, sin dejar de besarle en cada parte de piel que iba descubriendo, acariciándole los hombros, los brazos, entrelazando sus dedos…. Se les aceleraba el corazón. Respiraban más fuerte.

Luis hurgaba en los cajones, revisaba estanterías y todos los lugares donde veía papeles, sobres o dosieres. Encontró facturas de la casa, escrituras, contratos de suministros, instrucciones de electrodomésticos, un papel de chicle… Buscaba y rebuscaba con mucho cuidado, midiendo cada movimiento, sin dejar rastro de desorden. Paró un momento, se puso en pie y observó con atención el despacho en su conjunto tratando de imaginar dónde escondería Olegario algo comprometedor. Fue entonces cuando vio, entre una pila de carpetas, el ordenador portátil.

121

—Pero ahora mismo las cosas no le están yendo muy bien —explicaba Débora a Guille mientras subían al coche—. Un negocio que teníamos arrancado lo hemos tenido que detener.
—¿Un negocio? —preguntó Guille—. ¿De qué?
—Nada —respondió Débora—, un hotel que queríamos abrir este año, se llama El Calipo.
—Ah, lo conozco…

Mateo dio la vuelta a Tristán, besándole la nuca, sujetándole del pelo, rodeándole con los brazos, sintiendo su espalda en su pecho. A Tristán se le cerraban los ojos, con su mano, a ciegas, palpaba su pierna, sus muslos, su cintura. Le empujó hacia él.

Luis encendió el ordenador. Al iniciarse, sonaron unos acordes de música muy altos y se asustó. Terminaron enseguida y supuso que no la habría oído nadie más. Para acceder, le pedía la contraseña. Introdujo la misma que averiguaron años atrás: «Cucurucho123». Le dio a «Aceptar». Tras unos segundos, el ensordecedor sonido de una alerta anunciaba que la contraseña introducida no era correcta. Luis volvió a escribirla, con más cuidado, controlando bien mayúsculas y minúsculas. Una vez más, el aviso de contraseña incorrecta.

—¿Y cómo les va el viaje? —preguntó Débora.

—Bien —respondió Guille sin mucho ánimo.

—No te creo, Guille, que ya nos conocemos. Además, una persona enamorada solo es feliz si es correspondida, si no, es como tener un fuego prendido, o apagás la llama o lo único que conseguís es quemarte cada vez más.

—O también puedes conseguir que al otro se le encienda el fuego.

122   En la cama, los sudorosos cuerpos de Tristán y Mateo se movían a la par, se empujaban con fuerza, el cabezal golpeaba ruidosamente la pared, la respiración de ambos era más grave, más jadeante, los besos se convertían en mordiscos, se lamían la piel, las contundentes caricias enrojecían sus pieles.

Luis oía la música, el crujir de la cama, los golpes. Impaciente, siguió buscando entre las estanterías algo que le pudiera ayudar.

A pesar de la insistencia de Guille, Débora insistió en no tomar ningún aperitivo para volver antes y avanzar con la cena, así que volvieron a casa bastante rápido. De camino, Guille envió un mensaje de aviso al grupo.

Tristán y Mateo se agarraron como fieras, gimiéndose al oído, hasta que, como si agonizaran de placer, anclaron sus cuerpos, abrazándose con fuerza, con gritos más sordos, más aireados, unidos por el mismo estremecimiento, quedándose sin apenas aliento. Rígidos y pegados el uno al otro, intentaban recuperar la respiración. A los pocos segundos, se dejaron caer extasiados sobre el colchón. Seguían besándose, sin apenas energía, como si lo hicieran por intuición, recobrando el aliento. Aún les temblaban las piernas, se reían.

Débora y Guille llegaron a casa. Guille hizo sonar el claxon, como si quisiera hacer una broma, que Débora entendió como una travesura.

Luis, desde el despacho, oyó aquel aviso de su amigo. Dejó de buscar, cerró el portátil y se lo llevó al baño rápidamente.

Tristán oyó aquel claxon desde la cama y, como si volviese a la realidad, se levantó, se puso el bañador y salió de la habitación de Mateo. Llamó a la puerta del baño. Tenía los mofletes rojos, los labios morados y el cuerpo completamente sudado. Luis le abrió.

—¿Has encontrado algo?

Luis le enseñó el portátil, que había guardado en la mochila. Tristán se quedó sin habla.

—¿Estás loco? —le dijo en voz baja.

En ese momento entraron Débora y Guille por la puerta.

—¡Ya estamos aquí! —gritaron.

Mateo salió también de la habitación.

—¡Hola, mamá!

—Hola... —balbuceó Tristán.

123

14

Toca mentir

*L*a mochila donde Luis había guardado el ordenador estaba en el suelo, apoyada en el sofá. Débora se acercó a ella y la cogió.

—No la dejés en el suelo, que se escapa el dinero.

—Deje —se alarmó Luis y se la arrebató al momento.

—¿Cogieron piedras en la playa?

—No… —se rio Luis dejándola en el sofá—, no se preocupe.

Se dirigieron ambos hacia el jardín llevando algunos cubiertos que faltaban y copas de vino. Enseguida se pusieron los cinco a cenar toda la carne y la verdura que habían preparado en las brasas.

Hablaban de todo un poco, aunque Tristán inventaba respuestas a todo lo que le preguntaban los anfitriones sobre su vida. No mencionó sus dos años en San Francisco, tampoco dijo que había estudiado Arquitectura ni que tenía el título y estaba colegiado. Solo que en septiembre quería empezar un máster.

—Ah, ¡qué interesante! —comentó Débora—, ¿y sobre qué?

—Mmm… —dudó Tristán—, algo de administración de empresas, no lo sé aún.

—¡Ufff! El mundo de las empresas, no te lo recomiendo.

Luis estaba serio, miraba todo el rato hacia el sofá, controlando su mochila. De lo único que hablaba era de su vida sentimental y de su compromiso con Mario.

—¡Qué bonito! —dijo Débora—, a mí me encanta casarme, por eso lo hice ya dos veces. ¡Y espero hacerlo una tercera con Olegario!

Guille también estaba raro. No hacía bromas, no contaba anécdotas y su risa contagiosa no se oyó en ningún momento.

—Hace una temperatura muy buena —dijo, como si hablara con extraños—, ¿no creéis?

Mateo los miraba con cierta expresión de extrañeza.

—Y, vosotros —preguntó—, ¿cómo os conocisteis?

—No quieras saberlo… —dijo Luis.

—Que te lo cuente tu amor —respondió Guille.

—Pues… —dijo Tristán—. Trabajando juntos.

—Ah, ¡qué lindo! —opinó Débora—. En el laburo es donde se forjan las mejores amistades. ¿Y trabajando dónde?

—¡Dónde va a ser! —respondió Luis, al que se le escapaba un poco la risa. Se echó más vino en la copa.

—En una coctelería —dijo Guille.

—Exacto, coctelería El Mojito —dijo Tristán—. Te lo bebes por la boca y lo sacas…

—¡Por el pito! —gritó Débora estallando de risa.

—Teníamos dos jefes —explicó Luis—: uno era muy majo, el otro… era un auténtico hijo de la grandísima puta, las cosas como son. Y lo digo aquí, ¡en esta mesa!

—¡Totalmente! —gritó Guille—. Vamos, que no nos iríamos a su casa a hacer una barbacoa ni locos.

—Llevar una empresa no es fácil, tampoco —dijo Débora—. A veces, los jefes parecen hijos de puta, pero muchas veces las están pasando más putas ellos que el personal.

—Ya, mamá —dijo Mateo—, pero no siempre, que hay cada uno…

—Lo sé, lo sé, lo sé… —dijo Débora entrecerrando los ojos—. Pero yo, por ejemplo, tuve una empresita ahora, y también las pasé reputas.

—¿Ah, sí? —preguntó Tristán—, ¿cómo se llama?

—Como yo —dijo—, no me calenté mucho la cabeza buscando el nombre.

—¿Débora? —preguntó Guille—. Pues cambiando el acento de sitio no es mal nombre para una multinacional de comida: De-bo-ra.

—No no…, no soy tan vulgar, aunque no es mala idea, mira, para la próxima. Pero no, cogí las iniciales de mi nombre.

Tristán miró entonces a Mateo recordando los apellidos que le había dicho en la habitación y reprodujo el nombre completo: «Débora Leonardo Solís», quedándose de piedra al unir las iniciales.

Mateo miró a Tristán extrañado y percatándose de que estaba alerta. Débora, en cambio, siguió hablando con su copa de vino en la mano. Cogió su móvil y lo puso en modo selfi.

—Chicos, ¡hagámonos una foto!

—¡No no no! —reaccionó Tristán agresivo.

—¿Por qué? Andá, ¡sonrían!

Tristán se rio con la boca pequeña.

—La hago yo. —Se ofreció dando un beso en la mejilla a Mateo—. Luego os la paso.

—Es que él es muy coqueto —dijo Guille—, le gusta hacer las fotos, luego las retoca, las filtra y, si él se ve guapo, nos las envía a todos.

—Totalmente cierto —corroboró Luis.

Tristán se puso delante de todos, mirando a cámara y sonriendo. Ajustó la pantalla de su móvil, acabó de encuadrar para que todos aparecieran, posó, pidió que sonrieran y pulsó.

Tras el postre, hicieron un poco de sobremesa, pero los tres chicos querían irse ya para el camping. Débora les ofreció una copa, pero rechazaron la oferta.

Se despidieron y salieron a coger la furgoneta. En esa ocasión fue Luis quien se puso al volante y le pasó a Tristán su mochila como si fuera una caja de bombas. Este abrió enseguida la bolsa. Ya con el motor en marcha, apareció Débora por la puerta y los tres dieron un respingo.

—¡Buenas noches, chicos! Me encantó conocerlos. Vayan con cuidado.

Se quedaron en silencio hasta que se alejaron de la casa. Una vez doblaron la esquina, Tristán sacó el portátil de la mochila. Se pusieron a hablar los tres a la vez, histéricamente, mezclando los nombres de El Calipo, DLS, Antonio, Mateo...

—¡Callaos! —gritó Luis pegando un frenazo.

Consiguió que sus amigos cerraran la boca.

—Débora Leonardo Solís —dijo Tristán—, así se llama ella. Ella es DLS. Por eso Olegario no está acusado de nada.

—¿Cómo? —preguntó Luis.

—Olegario consiguió que DLS solo denunciara a mi padre por haber sobornado al alcalde. Pero es que DLS es Débora, ¡son ellos! Por eso a Olegario no le acusan de nada.

—¿Y esto lo sabe tu padre? —preguntó Guille.

—Seguramente no. Lo tienen totalmente engañado. ¿Qué había en el ordenador?

—No he conseguido entrar, la contraseña no es la misma. La he introducido dos veces.

Tristán miró la pantalla, solo les quedaba un intento.

—¡Mierda! —se desesperó Tristán—. ¿Seguro que la has puesto bien?

—Seguro.

—¿Dos veces?

—Síii —respondió Luis un poco molesto.

—¿Seguro que has puesto «Cucurucho123»?

—Que sí, joder, Tristán, que no soy tonto.

Guille los miraba desde el asiento trasero.

—Probad a poner «Calipo» en vez de «Cucurucho».

—¿Calipo? —preguntó Tristán— ¿Qué tendrá que ver El Calipo ahora?

—He estado hablando con Débora. Me ha explicado que este verano querían abrir un hotel, ni más ni menos que nuestro querido Calipo.

—¿En serio?

Tristán introdujo la contraseña que proponía Guille, letra a letra. Con cuidado puso la ce mayúscula, el resto en minúscula y las tres cifras.

—¿Y si no es?

—¿Tienes alguna otra idea?

—Vale vale…

Tristán acercó sus dedos al teclado y pulsó «Aceptar».

Tras unos segundos, accedieron al ordenador de Olegario. Saltaron de alegría. Guille suspiró orgulloso, pero seguía con una mirada más bien seria.

Tristán fue directamente a las carpetas en busca de algo que le relacionara con la construcción de los apartamentos en el faro. Enseguida encontró una carpeta llamada «El Faro». La abrió y había una cantidad innumerable de archivos: algunos con nombres poco específicos, con extensiones, algunas irreconocibles. Fue abriendo aleatoriamente y pudo ver todo lo relacionado con el futuro proyecto del faro: planos, permisos, licencias, contratos, expedientes…

—No puede ser —dijo Tristán con la mirada fijada en un archivo en concreto.

—¿Qué pasa? —preguntó Luis—. ¿Era lo que buscábamos?

—No no no, me lo puedo creer. —Tristán abrió un archivo y pareció ponerse nervioso—. Es el tipo de documento que supervisamos los aparejadores. Y este, en concreto, creo que…

Deslizó rápidamente hasta la última página, como si supiera lo que estaba buscando. Y encontró la firma del aparejador, con un garabato, y debajo, su nombre: «Tristán Ayala Durán».

—¿Tú firmaste esto? —Le preguntó Guille.

—Sí —respondió desconcertado—, me lo hizo firmar mi madre.

15

A ciegas

—¡*M*ierda!, es que soy gilipollas.

—Pero ¿qué tienes tú que ver con todo esto? —insistió Guille.

—Fue hace unos meses... Mi madre a veces me pasaba proyectos para que firmara. Pero es que yo me fiaba de ellos, ni me los miraba. Mierda, mierda, nooo... Siempre eran obras pequeñas, sin importancia.

—Pero ¿firmar esto es legal? —preguntó Luis.

—Si el proyecto lo es, sí. Si el proyecto es irregular, y yo lo apruebo... me convierto en parte. —Tristán se puso el puño en la frente, como si quisiera borrar lo sucedido—. Pero... lo que no logro entender es qué tiene que ver mi madre con todo esto.

Con la furgoneta avanzaron por las silenciosas y oscuras calles de El Palmar. El trayecto no era especialmente largo, pero el estrecho camino los hacía avanzar a muy poca velocidad. Estaban callados, Tristán tenía la mirada fija en el ordenador, pero ya no buscaba más documentos. Algunos baches hacían mover a los tres chicos a la vez con sacudidas. Estaban a punto de llegar a la barrera de entrada cuando Luis, al fijarse en Tristán, bajó la velocidad y detuvo la furgoneta, sin parar el motor.

—¿Estás bien?

Tristán se apartó la mano de los ojos, no pudo evitar el llanto. Tenía los ojos empapados de lágrimas, la cara descompuesta, apenas podía hablar.

—Por eso mis padres no quieren denunciar ni hacer nada.

—¿Cómo? —preguntó Guille desde el asiento trasero, poniéndole una mano en el hombro.

—Podrían destapar a Olegario, pero entonces irían cayendo todos detrás. Aumentaría la pena de mi padre, caería mi madre y, por lo que veo, caería yo también. —Miraba por la ventana, le brillaba la mirada—. Por eso tanto misterio, estamos todos metidos.

Estaban llegando al camping. A unos doscientos metros ya veían el cartel iluminado. Se hizo un irritante silencio, Luis y Guille no sabían qué decir. Tristán intentaba aguantar la rabia.

Un guarda de seguridad se les acercó y se asomó a la ventanilla de Luis.

—Aquí no pueden estar, señores.

—Hola, tenemos reserva, acabamos de llegar.

—Si no se han registrado, hasta mañana no pueden entrar —les dijo en voz baja.

La barrera estaba bajada.

—Pero… ¡sí que hemos hecho el *check in*! —dijo Guille casi gritando.

—Chsss. Es hora de silencio. Me han dicho que acaban de llegar —replicó el guarda.

—No… —aclaró Luis—, que hemos ido a cenar fuera y ahora acabamos de llegar. Tenemos un bungaló reservado, ya hemos estado aquí esta tarde.

—¡Eso es otra cosa! Pasen entonces, señores…

Aparcaron la furgoneta entre dos coches, Tristán se secó las lágrimas y respiró fuerte. Se dirigieron, con las cosas justas, a la recepción.

—Denos la llave, que la hemos dejado aquí —le pidió Guille al guarda.

—¿Qué llave? —respondió—. ¡Van con código!

—Déjelos —dijo Luis—, que han bebido, ¡vamos, chicos!

Se adentraron en el camping, que estaba a oscuras. Quietos, intentaron distinguir algo a su alrededor. Encendieron las linternas de sus móviles.

—Guille, tú pasaste aquí la primera noche —dijo Luis—, ¿no recuerdas nada?

—Sí, que me tomé veinte tequilas y me desperté dentro

de un bungaló. Cuando me desperté, no encontraba la salida y acabé saltando una verja, ¿te sirve?

—Las duchas —susurró Tristán— están cerca de la entrada.

—Gracias —respondió Luis—, pero ¿hay camas en las duchas?, ¿verdad que no? Estamos buscando un bungaló.

Continuaron andando. Iban casi pegados, como si estuvieran atados por una cuerda. Con la luz distinguían tiendas de campaña pequeñas, caravanas, autocaravanas, tiendas más grandes. Algunos campistas habían improvisado tendederos atando cuerdas a los árboles, había sillas de plástico, juguetes, mesas, chanclas... Veían el número de las parcelas, carteles indicadores, ninguno de los bungalós. En algunas tiendas se oían susurros, en otras, algunos ronquidos.

—¡Aquí, como folles, te oye todo el mundo! —dijo Guille.

—Díselo a Tristán —se rio Luis.

—¡Cállate! —Le dio un golpe en la barriga—. ¡Mirad!

Enfrente, a lo lejos y en penumbra, Tristán había distinguido unas casitas de madera.

—¡Sí! ¡Eso es lo que salía en la web! —dijo Luis—. Ahora... el nuestro... no sé cuál es.

—Solo había uno disponible —dijo Tristán recuperando la voz—, el que esté vacío.

Se acercaron al primero de ellos con sigilo. Había bañadores colgados, se miraron y negaron con la cabeza. El siguiente lo pasaron de largo, estaba lleno de juguetes por el suelo, toallas y ropa tendida. El tercero tenía luz en el interior. Llegaron a la cuarta cabaña. Aparentemente estaba vacía, no había nada en las escaleras ni en la entrada. Se acercaron con cautela a la puerta, el suelo de madera crujía. Pusieron la oreja y no oyeron nada. Se miraron haciendo ademán de entrar. Tristán abrió despacio la puerta, que rechinó levemente...

—Rafa... —dijo una voz.

Asustados, los chicos volvieron atrás haciendo ruido. Les invadió una risa miedosa. Quedaban dos bungalós solo. El último se veía invadido por un montón de trastos, un coche aparcado, una colchoneta hinchable... Se dirigieron al quinto. No había nada fuera, no se oía a nadie, abrieron la puerta, no chirrió... Con la linterna del móvil vieron las camas hechas, olía a limpio, estaba vacío, habían llegado.

133

Encendieron la luz y descubrieron una mesa en el centro con cuatro sillas, una minicocina, un pequeño baño, dos habitaciones, una con cama de matrimonio y la otra con dos individuales.

—A mí me da igual.

—Donde queráis.

—Elegid vosotros.

Hasta que Guille se decidió:

—Yo no quiero dormir solo. —Y se dirigió a la cama de matrimonio.

—Yo tampoco. —Tristán se fue detrás.

Luis se quedó mirando la otra habitación bastante desolado.

—Yo también con vosotros.

Acabaron los tres en la cama grande de matrimonio, un poco apretados. Tristán seguía con el ordenador entre las manos, se había colocado en medio. Luis se lo cogió, lo cerró y lo dejó en el suelo.

—Mañana será otro día —le dijo. Se quitó las gafas y las dejó en la mesilla.

Guille se deshizo de la camiseta y se puso de lado, de cara a la ventana.

—Buenas noches, guapos —dijo bostezando—, no puedo más, estoy muerto.

—Buenas noches —dijo Luis—, mañana más...

—Gracias por todo, chicos —dijo Tristán.

Ambos cerraron los ojos.

—Os quiero —añadió.

Cada uno acomodó su cuerpo a la cama, se cubrió con la sábana y colocó la cabeza en la almohada. Aquella noche no corría aire fresco, en aquella habitación hacía calor. A pesar del silencio que guardaron los tres chicos, ninguno parecía pegar ojo. Se fueron quitando la sábana, un poco sofocados. Pero seguían intentando dormir. Guille, tras mirar un buen rato por la ventana desde la cama, se puso unos cascos y escuchó música, movía una pierna como si tuviera un tic nervioso. Tristán le paraba con la mano, a la vez que metía la cabeza bajo la almohada como si quisiera forzar el sueño. Luis estaba incómodo, no encontraba su postura, resoplaba de calor. Finalmente, se largó a la habitación de al lado.

Tristán se estiró boca arriba, ocupando el lado que había dejado libre Luis. Guille, que seguía despierto, se dio media vuelta, acercando su cuerpo al de su amigo. Poco a poco, fue acercando la cabeza, después le cogió un brazo, como si agarrara una almohada.

—¿Te molesta?

—No, para nada —dijo Tristán sin inmutarse.

Estuvieron unos segundos en silencio, sin moverse.

—Tristán —dijo Guille, como si estuviera sonámbulo, susurrando—. ¿Estás bien?

—Bueno, más o menos. No mucho, la verdad —respondió acariciándole la cabeza.

—No tengas miedo, todo irá bien. Verás que en pocos días estás con tu familia comiéndote un helado y riéndote de todo esto —le quiso consolar Guille.

—Ojalá.

—¿Sabes qué?

Tristán tomó su tiempo para responder.

—¿Qué?

135

—Sigues teniendo el mismo olor que cuando nos conocimos.

—¿Ah, sí?

—Sí —Guille se arrimó un poco más—, es muy característico.

—Pero ¿es agradable o desagradable?

Guille suspiró.

—Muy agradable, siempre me ha gustado tu olor. Es…, no sé…, me gusta. No te pasa con algunos olores, de algunas personas, que… ¿como que te hacen sentir bien?

Tristán seguía mirando el techo.

—La verdad es que no me suele pasar. Aunque, ahora que lo dices, sí que me ha pasado.

—¿Sí? ¿Con quién?

—Me ha pasado con Mateo. Cuando le vi en la playa, la verdad es que me atrajo su olor, y hoy, cuando nos hemos vuelto a ver… ha sido como…, justo lo que decías, como que me atraía un poco.

Guille cerró los ojos con fuerza. No respondió. Apartó la cabeza, le soltó el brazo y se dio media vuelta, hacia su lado de la cama. Suspiró como si quisiera calmarse. Tragó saliva y volvió a respirar, le temblaba el pecho. Se quedó mirando fijamente por la ventana. Tristán le puso una mano en la cabeza.

—Buenas noches —le dijo en voz baja.

Guille tardó en responder. Finalmente le dijo con un susurro:

—Buenas noches, Tristán. —Le temblaba el labio.

Al día siguiente

Y disparó.

Tristán gritó muy alto.

Luis se tapó los ojos.

Guille miraba exhausto.

16

Hay un motivo

*L*a luz del sol entraba con fuerza por las ventanas del bungaló. Guille había invadido dos tercios de la cama. Tristán iba abriendo los ojos arrinconado al otro lado. Luis, en la otra habitación, se despertó a la vez que ellos. Habían dejado las puertas abiertas. Durmieron mucho aquella noche, era casi la hora de comer.

Lo primero que hizo Tristán fue comprobar que el portátil siguiera donde lo dejaron. Lo cogió, se incorporó en la cama, marcó la contraseña y empezó a mirar archivos de nuevo.

—¡Tengo hambre! —gritó Luis.

—¡Quiero desayunar! —le respondió Guille.

Tristán no dijo nada, estaba concentrado en el ordenador.

Luis y Guille se levantaron, se entretuvieron cada uno en el baño un rato, se lavaron la cara y se mojaron un poco el pelo, se pusieron una camiseta y salieron del bungaló a por comida.

Tristán se quedó en la cama. Fue leyendo y repasando uno por uno los archivos de aquella carpeta: transferencias bancarias, documentación referente a El Calipo, a El Cucurucho, las licencias a DLS, sus licencias… Conectó el wifi del ordenador a su móvil y empezó a enviarse los archivos a su propio *email*.

Luis y Guille no tardaron en volver con bolsas de un supermercado y sus maletas, que habían recuperado de la furgoneta. Lo dejaron todo en la mesa del comedor. Tristán no se había movido de la cama.

—¿Has descubierto algo nuevo? —preguntó Guille comiendo un cuscurro de pan.

—Pues que mis padres tenían razón. Que se vaya mi padre a la cárcel es lo menos malo que nos puede pasar.

—No puede ser —dijo Luis.

—Ahora lo veo todo claro. —Tristán cerró el ordenador y desde la cama les explicó—: DLS son Débora y Olegario. Ellos llevaban el proyecto. Pero algo debió suceder para que, de repente, quisieran cargarse a mi padre. Es lo único que no entiendo. Y por qué mi madre está metida en esto también, cuando siempre me dijo que ella iba aparte. Es que me llevan engañando todos estos años.

—Tranquilízate, Tristán, seguro que hay un explicación. —Luis se sentó a su lado—. Llámalos, será lo mejor, y que te lo cuenten todo.

Tristán tenía un nudo en el estómago, se veía impotente ante la situación. Luis no sabía qué decir, solo intentaba animarle con un abrazo. Guille hacía el ademán de sacar el desayuno.

—Sin querer quitar importancia a todo esto, el café se va a enfriar.

—Y hemos comprado bikinis de cruasán —dijo Luis—, aunque sea la hora de comer, no hemos desayunado.

—Sí —respondió Tristán—, desayunemos. Luego llamaré a mis padres.

Habían comprado zumo natural, yogur con cereales y también palmeras de chocolate. Lo pusieron todo en la mesa de la terraza y desayunaron los tres juntos.

—Más tarde podríamos, aunque sea, dar una vuelta por el paseo. Y comer un helado, como en los viejos tiempos —propuso Guille—. Además, esta noche hay luna llena, me prometisteis que nos bañaríamos.

—Yo creo que me quedaré aquí —dijo Luis—, para una vez que tenemos cama, me apetece descansar, que tengo la espalda hecha polvo. Además, le he dicho a Mario que le llamaría más tarde, que no hemos hablado casi desde que me fui.

—¿Y tú, Tristán? Te iría bien un paseíto.

—No lo sé…, pensaba que a lo mejor le podría decir a Mateo de dar una vuelta.

—Ah, claro, que ahora tienes novio —dijo molesto—. Pues nada, quedad con vuestros amorcitos. Ya pasearé yo solo y me bañaré esta noche.

Guille se levantó sin acabar el desayuno y empezó a recoger lo suyo. Luis y Tristán acabaron rápido, sin hablar demasiado. Lo recogieron todo y limpiaron la mesa.

—Voy a llamar a mis padres —dijo Tristán—, aunque es lo que menos me apetece ahora mismo.

—¿Quieres que nos vayamos? —preguntó Luis.

—Yo me iré a la piscina —se adelantó Guille—, creo que ya no puedo hacer nada más por el caso Ayala. No entiendo los archivos. Además… os habéis metido vosotros solitos en este lío, no yo.

—Muchas gracias, Guille, es justo lo que necesito escuchar ahora mismo de un amigo —ironizó Tristán.

—Es que es verdad, te has metido tú en esto —se alteró—. Tú, tu padre, tu madre. ¿En serio crees que vamos a arreglar algo aquí? Yo paso ya.

—Venga, Guille, vamos a la piscina los dos un rato —se interpuso Luis.

—Sí, mejor.

—Venga, espero que te diviertas —zanjó Tristán.

Ambos se prepararon para irse, se pusieron un bañador y una camiseta. Casi no hablaron. Cogieron un par de toallas.

—Nos vemos luego —dijo Luis dando un fuerte beso a Tristán en la mejilla—. Todo irá bien, ya lo verás.

Guille estaba en el camino de tierra, esperando a Luis.

Tristán no tardó en llamar a su padre. Inmediatamente Antonio le cogió el teléfono.

—Papá, hola —dijo Tristán bastante serio—, ¿estás con mamá?

—No —respondió mientras ajustaba la cámara del móvil—. Ha salido, estará a punto de llegar.

—Papá, lo sé todo. —Tristán no pudo aguantar el llanto.

Le explicó todo el camino que había hecho y todo lo que había pasado hasta conseguir el ordenador. Antonio no podía creerlo, se alteró al saber que Tristán le había robado el portátil a Olegario. Entró en pánico y rogó a su hijo que lo devolviera.

—¿Para qué, papá? Si estamos todos metidos en esto, ¿qué más da? Tarde o temprano saldrá todo.

—Pues que Olegario no tiene buenas intenciones. Va a por mí, y si quiere irá a por tu madre y a por ti.

—Explícame qué ha pasado para que de repente se haya convertido en tu peor enemigo.

Antonio guardó silencio un rato.

—Papá…, ¿qué más hay?

Antonio juntó las palmas de las manos entrecruzando los dedos y se las llevó a la barbilla suspirando.

—Tristán —dijo finalmente—. Sí que hay algo más.

—¿El qué?

—Sabes que Olegario y yo somos amigos desde la universidad. Encontramos nuestro primer trabajo juntos.

—Sí, lo sé. Ahí es donde conociste a mamá.

—Exacto. Esa es la parte bonita de la historia. Hay algo más de lo que, por motivos obvios, no solemos hablar. Y es que —suspiró lentamente— no solo yo me enamoré de ella.

—¿Quieres decir que…?

—Olegario también se enamoró locamente de Carmen. Lo estuvo durante muchos años, y diría que hoy todavía lo está. Al principio no pasaba nada, porque parecía que entre tu madre y yo no había nada serio, pero con el tiempo, cuando la relación empezó a formalizarse, se iba sintiendo peor, más desplazado. La amistad siguió pero, en el fondo, Olegario jamás nos perdonó que fuéramos felices.

17

Necesitaba compartirlo

*L*uis y Guille se dieron un buen chapuzón en la piscina. Tocaban perfectamente el suelo y el agua les cubría justo hasta el pecho. En una de las esquinas, en un pequeño saliente de forma circular, descubrieron una zona de burbujas. Fueron allí, pulsaron el botón y se quedaron un rato en el hidromasaje bajo el sol.

No hablaban apenas hasta que Luis preguntó:

—Guille, ¿estás bien?

Su amigo tenía los ojos cerrados y las manos bajo el agua. Giró la cabeza hacia él.

—Pues… no mucho, la verdad —dijo mientras se incorporaba.

—¿Qué te pasa con Tristán?

Guille le miró con los ojos entristecidos. Por un lado, parecía no querer responder; por otro, parecía necesitar sacarlo todo.

—¿Te acuerdas de lo que nos contó el otro día?, ¿sobre el momento más morboso de su vida?

—Sí —respondió Luis sonriente—, ¿el del farmacéutico con el compañero de piso que los miraba desde la puerta?

—Ese…

Luis parecía esperar que Guille siguiera hablando. Pero tras mirarle a los ojos, reaccionó.

—¿Eras tú? —preguntó sorprendido—. Pero si tú no has estudiado Farma… —De repente se dio cuenta—. ¿El de la puerta? ¿El que estaba en el marco de la puerta eras tú?

Guille levantó las cejas asintiendo con la cabeza. El motor de burbujas llevaba rato haciendo ruido. Seguía con las manos debajo del agua, moviéndolas y jugando con pequeños chapoteos.

—Yo tampoco lo he olvidado. De hecho, aún lo recuerdo como si fuera ayer, pero no de la misma manera que lo recuerda él.

Luis se acercó para sentarse a su lado.

—Lo que hice aquella noche no era habitual en mí. Jamás había hecho algo parecido, ni lo he vuelto a hacer. Mi compañero de piso era majo, y la verdad es que estaba bastante bien, pero... nada más. Muchas veces le vi con chicos, y él a mí, y lo normal, hablaba con ellos, o no. No sé, sin más. —Guille sonreía con tristeza.

El motor de las burbujas se paró. No volvieron a ponerlo en marcha.

—Pero aquella noche fue diferente. Cuando llegué a casa y vi a Tristán, me quedé totalmente parado. Hubo algo en él que me atrajo, tenía algo especial. Aparte de lo guapo que estaba, cómo me miró, con esos ojos y esa mirada, cómo hablaba, cómo sonreía... Hasta recuerdo su olor. Me quedé impactado, de verdad, nunca me había pasado con nadie, ni me ha vuelto a pasar.

—Bueno, es que Tristán... es mucho Tristán —dijo Luis—. Aunque para mí, al ser de mi edad, me ha parecido siempre demasiado joven —dijo guiñando un ojo.

Se rieron.

—Perdón..., sigue.

—Pues que me quedé totalmente descolocado. Aunque estaba muerto de sueño, no me fui a la cama. Me hice el despierto, saqué una cerveza de la nevera, que era lo último que me apetecía, y me quedé un rato con ellos. Pero yo no quería nada más, tan solo quería conocer a aquel chico, pasar un rato con él. Es que no podía irme, no podía dejar de mirarle...

Luis sonreía.

—Ya...

—Además —siguió Guille con una mirada tierna—, lo que contó Tristán era verdad: tenía el guapo subido, coqueteaba mucho con los dos, estaba supersimpático, supergracioso, pocas veces le he visto así. —A Guille no se le borraba la sonrisa—. Total, que al rato se fueron ellos dos a la habitación. En ese momento Tristán me miró y con la cabeza me invitó a irme con ellos. —Se puso más serio—. Yo no quería, la verdad. No quería sexo con ellos, ni siquiera con Tristán, pero tampoco quería que se fuera y dejar de verle. Me apetecía estar con él.

¿Nunca te ha pasado? ¿Ver a alguien y…, aunque no le conozcas, de repente, lo único que te apetece es estar a su lado? Entonces fue cuando se metieron en la habitación y Tristán dejó la puerta abierta. Y ahí me quedé yo, en el salón, inmóvil. Como un idiota. Sin saber qué hacer.

—Y te asomaste a la puerta —dijo Luis.

—Bueno…, sí. Primero me fui a la ducha, había estado toda la noche fuera y no sabía qué iba a pasar, pero pasase lo que pasase, que me pillara duchado. —Se rieron los dos—. Incluso me fui a la cama, pero no aguanté ni un minuto, no me quitaba su cara de la cabeza y pensaba que estaba ahí…, además los oía… Entonces sí que fue cuando me acerqué a la habitación muy despacio, dudando de si realmente quería verlos. Hasta que me asomé.

»Él habla de aquella silueta negra que estaba a contraluz, que era yo. Pero, claro, yo a él le veía perfectamente: su cara, su cuerpo… Le veía totalmente iluminado. Y, para que veas cómo son las cosas, aquella situación era de lo más morbosa, de lo más sexual, él que tenía una mirada de vicio que no se podía aguantar. Estaban pegando el polvazo del año, grabas eso y te forras —bromeó—. Y yo, quieto en la puerta, como un idiota.

Luis no comentó nada, incapaz de imaginar adónde quería llegar Guille.

—Pero yo no veía a dos tíos follando. Solo veía a Tristán. Miraba sus ojos, cómo me miraba, queriéndome provocar. Le oía resoplar, veía cómo tenía el pelo pegado en la frente del sudor, cómo le caía una gota, cómo se la apartaba con la mano… Y yo, en vez de excitarme, que era lo que tocaba en ese momento, en vez de disfrutar de eso como lo que era, puro sexo, solo podía pensar en lo bonitos que eran aquellos ojos que se entrecerraban arrugando la frente, en aquella sonrisa medio abierta, en sus dientes blancos… Era uno de los chicos más guapos, más atractivos y más especiales que había conocido jamás. Y solo había cruzado con él cuatro palabras.

—Pero… al final también te apuntaste, ¿no? Al menos eso contó Tristán.

—A ver —dijo Guille risueño—, también se me hacía raro estar allí mirando. Entonces, pues para disimular, o no sé. Pues me acabé animando también. Y que tampoco soy de piedra.

143

Guille recogió las piernas, poniendo sus brazos sobre las rodillas.

—Esto fue hace muchos años, Guille...

A Guille se le enrojecieron los ojos y tragó saliva. Le miró pero no le respondió.

En el bungaló, Tristán seguía hablando con su padre.

—¿Y lo sabe mamá? ¿Sabe que Olegario está enamorado de ella y por eso te está jodiendo la vida a ti y a todos nosotros?

—Cálmate, hijo. Pero sí, estas cosas se notan.

Tristán se puso una mano en la cabeza.

—Pero eso no le da derecho a hacer nada de lo que está haciendo. No has hecho nada malo, papá. Mamá y tú os queríais, y punto.

—Lo sé, Tristán. Por eso, lo último que quiero es que pagues tú por ello. Devuelve el ordenador inmediatamente, porque como te descubra, ahí sí que se acabó todo, ¿me oyes?

144

Tristán escuchó una notificación en su móvil.

> MATEO. Querés venir a casa más tarde? Mi vieja y Ole aún tardarán en llegar, estaremos los dos.
>
> TRISTÁN. Vale. Te parece que vaya ahora?
>
> MATEO. Genial.
>
> TRISTÁN. Tengo ganas de verte.

—Está bien, papá, se lo devolveré. Esta misma tarde. —Tristán cogió el ordenador y lo puso en su mochila. Salió del bungaló.

Luis y Guille salieron del agua y se dirigieron a las tumbonas.

—Hay más cosas que nunca he dicho, pero es que cuando las pienso me siento la persona más estúpida del mundo —continuaba Guille con un tono de melancolía, incluso de rabia o arrepentimiento—. Y es que tras el verano que pasamos en El Cucurucho, estuve aún dos años trabajando allí. Los dos años que Tristán estuvo en San Francisco con aquel chico tan majo, tan mono, tan perfecto y tan gilipollas. Y yo ahí, en la heladería de su padre.

Se estiraron en las tumbonas. Guille se puso las gafas de sol.

—Fue tras el viaje a San Francisco que me di cuenta de que si seguía en ese sitio era porque, en el fondo, era algo que me unía a él. Encima, yo, idiota de mí, quería pensar que si algún día volvía —su voz era cada vez más rasgada, más afónica—, me encontraría ahí y se daría cuenta de que a pesar de la distancia, del tiempo, y de todo lo que nos pasó, yo había estado ahí siempre.

Tristán se dirigía a la salida del camping para ir a casa de Mateo. Mientras tanto, llamó a su madre y, casi sin saludarla, le dijo que había hablado con su padre.

—¿Sobre qué? —preguntó Carmen.

—Me ha contado lo de Olegario, que lleva enamorado toda la vida de ti y por eso quiere cargarse a papá.

Carmen guardó silencio.

—¿Tú sabías eso? —preguntó Tristán.

—Tristán, no es todo tan sencillo. Ni Olegario ha sido tan malo con tu padre, ni tu padre fue tampoco siempre tan bueno.

—Pero ¿cómo puedes decir eso? ¿Por qué le defiendes?

—Tristán. Cuando la cosa empezó a complicarse y DLS denunció a tu padre, Olegario me ofreció colaborar en un proyecto con él. Ese proyecto nos puede dar dinero a ti y a mí. No podemos evitar que carguen contra tu padre, pero al menos, podemos conseguir salvar algo para nosotros.

Tristán escuchaba atónito las palabras de su madre.

—¿Te estás oyendo, mamá? Yo creo que no, porque si lo hicieras, tendrías vergüenza de ti misma.

En la piscina, Luis se acercó a su amigo.

—Joder, Guille, no sabía que estabas tan hasta las trancas. Lo siento mucho…

Guille, aparte de triste, parecía estar enfadándose.

—Lo peor es que aquí sigo. Jugándome el cuello por él. Y no puedo evitar mirarle a los ojos y seguir sintiendo exactamente lo mismo que aquella noche. Mientras tanto, él está perdiendo el culo por Mateo, que encima le va a dar una patada pasado mañana, ¡y que le está robando a su padre!

145

Υ

Tristán caminaba acelerado, enfurecido, triste, rabioso. Cogió el móvil y escribió a Mateo.

TRISTÁN. Llego en 10 min.
MATEO. Ok.
TRISTÁN. Tengo ganas de verte.
MATEO. Igual.

También escribió a sus amigos.

TRISTÁN. Me voy con Mateo. Hasta luego.

—Bueno —respondió Luis—, no creo que Mateo se entere mucho de lo que está pasando.

—¡Me da igual! —gritó Guille—. Tristán es el inconsciente, ¿no le has visto los ojos cuando está con él? Está perdiendo la cabeza, y la va a volver a cagar. Y lo único que va a conseguir es joderlo todo, ¡joderse a él y jodernos a nosotros! —A Guille le temblaban los labios—. Pero es que esto nos tiene que dar igual, ¡a mí me tiene que dar igual! Que se vaya a la mierda él, su padre, sus helados de mierda, ¡y que se vayan todos a la mierda!

Al ver el mensaje de Tristán, Guille se levantó, cogió su toalla y se fue de la piscina.

—¿Dónde vas? ¡Voy contigo! —Luis le siguió apresuradamente.

—Al bungaló, me apetece estar a solas un rato —dijo Guille llorando.

Luis le siguió con la mirada hasta que le perdió de vista entre la gente.

Tristán ya se había alejado bastante del camping pero se paró de golpe.

TRISTÁN. Me he dejado una cosa, tengo que volver al bungaló.

18

No nos separemos

*L*uis se quedó un rato más en la piscina y aprovechó para hablar con Mario. Se preguntaron el uno al otro por los últimos días. Luis no le contó a su novio lo que le acababa de explicar Guille, tampoco todo lo que les había pasado en el viaje respecto a Tristán y su padre. Le habló de las dos playas que habían visitado, del baño matutino desnudos y de la puesta de sol. El tema de la boda no lo tocaron.

—Luis —le dijo Mario, que hablaba desde su habitación, apoyado en el cabezal de barras de madera.

—Dime, amor.

—Que lo he estado pensando estos días —dijo desviando la mirada de la pantalla. Se incorporó y se sentó en la cama poniendo los pies en el suelo. En la pared, se veía un cuadro de Hopper—. Que si no ves claro lo de la boda, que tal vez podría entender que no quieras casarte conmigo…

—No digas gilipolleces —se sobresaltó Luis poniendo cara triste—. De verdad, Mario, no digas eso.

—Espera —le cortó Mario—. Lo que te quiero decir es que no quiero hacernos daño, ni yo hacértelo a ti, ni que tú me lo hagas a mí. No sé, nos llevamos bastantes años. He sido tu primer y único novio.

—Mario —Luis se puso de pie y recogió sus cosas mientras seguía hablando—, ¿por qué me saltas con todo esto de repente? No hemos hablado casi y ahora de golpe me sueltas…

—¡Tú lo has dicho, Luis! No hemos hablado nada. No sé si estás bien, si estás mal, si te estás divirtiendo, si no, no tengo ni puta idea de lo que haces. Lleváis ocho días fuera y lo único que sé es que os habéis ido a dos playas. —Mario casi gritaba—. ¿Dos playas? Me parece muy bien, pero ¿solo eso?, ¿de verdad que lo único que te apetece contarme es que os está haciendo buen tiempo y que os bañáis en la playa? Es verano y os habéis ido de vacaciones, ¡obvio que hace buen tiempo y que os habéis bañado en la playa!

Luis le miraba sin decir nada. Mario le podía ver por la pantalla cómo iba andando con su toalla por el camping.

—Y no quiero que te sientas presionado —continuó—. No te pido que me lo cuentes absolutamente todo. Pero que, a veces, me gustaría pensar que te apetece explicarme algo. Pero que me cuentes que hace calor y que vais a la playa, pues… no sé…

Luis iba sorteando a los campistas que se cruzaba por el camino. Mario se tocaba el pelo con la cabeza agachada, se le humedecieron los ojos. Volvió a mirarle y Luis le dedicó una sonrisa.

—He pensado todos los días en ti, Mario. Y reconozco que este viaje… he estado un poco desconectado. Y sí…, necesitaba pensar un poco.

—Lo imaginaba, y ¿has podido pensar?

—Pues un poco sí…, no sé, tengo miedos y me planteo muchas cosas… Porque yo también la cago mucho, además la cago cada día y no quiero hacerte daño a ti, ni hacértelo pasar mal…

—Ya…

—Y… casarse no es cualquier cosa. Es comprometerme mucho contigo… Pero es que lo pienso y… en el fondo, creo que es lo que más me apetece. No me imagino volver de estas vacaciones y que no estés esperándome… Y poder contarte todo, absolutamente todo.

Mario lloraba pero se le dibujó una pequeña sonrisa. En la pantalla no distinguía ninguna imagen clara, todo eran movimientos, pasos, cielo, suelo, árboles…

—Luis, ya hablaremos. Tal vez ahora no sea el momento.

Al fin, Luis levantó la cámara y Mario le vio al lado de una mujer mayor que iba con un bañador amarillo y el pelo canoso recogido en una coleta.

—Señora —le dijo Luis comprobando que se les viera a los dos en pantalla—, ¿ve a este chico de aquí?

—¿A ver? —La señora acercó su cabeza a la pantalla—. No veo nada. ¿Quién es?

—Mire, señora, es mi novio, mi prometido. —Luis alternaba la mirada con el móvil y la mujer mayor—. Se llama Mario y nos vamos a casar. Y quiero decirle delante de usted que nunca en la vida me voy a separar de él.

—Ah, qué bien —dijo la señora—, ¿es guapo? Es que no veo bien…

—Es el más guapo de todos los chicos que he conocido jamás.

Un señor mayor, que debía ser el marido de ella, también se acercó.

—¿Qué le parece, señor? —dijo Luis mostrándole la pantalla.

El hombre forzó un poco la vista.

—¿Es guapo o no es guapo? Se llama Mario, y nos casamos —dijo sonriente.

El hombre se olvidó de la pantalla y se quedó mirando a Luis con una sonrisa desdentada.

—Escúchame bien… —le dijo con una voz ahogada tocándole con el dedo en la frente—, esto de aquí arriba envejece.

Luis se quedó en silencio, Mario le veía y escuchaba por el móvil.

—Esto de aquí —le dijo el señor señalándole la entrepierna—, esto de aquí abajo también envejece…

Luis se rio, la mujer también se reía a carcajadas.

Mario lloraba desconcertado.

—Pero esto de aquí —el señor le puso la mano sobre el corazón—, esto de aquí es lo más grande que tenemos, y no envejece jamás.

Luis, emocionado, ya solo miraba a Mario.

—Os deseo —dijo el señor con la voz afónica—, os deseo todo lo mejor del mundo.

La pareja se fue y Luis se puso el móvil de frente.

—Te quiero, Mario.

—Te quiero, Luis.

—Está siendo un viaje muy loco —dijo mientras empezaba

149

a llorar—. Y tengo ganas de volver y contártelo todo, porque está siendo muy surrealista. Pero te quiero y te echo de menos.

Mario seguía con los ojos rojos.

Se estuvieron mirando y lanzando besos hasta que se despidieron y colgaron. Luis había llegado al bungaló y estaba subiendo las escaleras hasta la terraza. La puerta estaba entreabierta y oyó cómo Guille y Tristán discutían a gritos.

—Guille, por favor, ¡no te vayas! —gritaba Tristán.

—Que sí —Guille lloraba desconsolado—, me voy a dormir a cualquier sitio, y mañana hablamos.

—Pero ¿me dirás qué coño te pasa?

Luis entró y miró a sus dos amigos sin decir nada.

Tristán se giró hacia él encogiéndose de hombros.

—Guille, ¿qué haces? —dijo Luis con la voz calmada.

—No quiero dormir aquí, seguramente me vaya.

—Pero ¿qué te pasa? —insistió Tristán.

—Pues que se suponía que era un viaje de los tres, para salir los tres, irnos de fiesta los tres, y está siendo una mierda donde lo único que hacemos es buscar una mierda de portátil y ver cómo te tiras al Mateo de mierda.

—¿Qué tiene que ver Mateo?

Guille no respondió, tenía la bolsa hecha. Miró a Tristán y a Luis.

—Pasadlo bien —dijo saliendo por la puerta—. Mejor dicho, seguid pasándolo tan bien. Nos vemos mañana o pasado, o nunca.

Tristán se quedó inmóvil y con expresión de incertidumbre miró a Luis.

—Guille —dijo este—, ¿estás seguro…?

Guille se alejó sin responder.

—¿Me explicas qué coño le pasa? —le preguntó Tristán a Luis, ya solos.

—Déjalo, pobrecito.

—¿Pobrecito? —gritó Tristán—. Nos monta un pollo y nos deja aquí tirados, y ¿pobrecito?

—Cálmate. Te aconsejo que le dejes y mañana con calma habláis.

—Luis, no —le dijo Tristán mirándole a los ojos—. Ahora no es momento para consejitos.

—No son consejitos, te lo digo en serio.

—Pues no hace falta que me digas nada en serio. ¿Guille me ha visto que estoy como una puta mierda y se va? ¿Y tú le defiendes?

A Luis le cambió la expresión, su mirada de compasión hacia su amigo se convirtió en cara de rabia. Se miraron desafiantes. A Tristán le empezó a temblar el labio inferior. Luis estaba enfurecido, tragó saliva, provocando un fuerte movimiento de su nuez. Respiró profundo y dijo:

—Está totalmente enamorado de ti.

Tristán negó con la cabeza.

—Y ¿qué quieres que haga? —gritó.

—No hagas nada, pasa de él, déjale que sufra. No hagas ni puto caso de lo que sientan los demás. Sigue pensando en ti, que es lo único que sabes hacer. En tus problemas, tus cosas. Luego ya pensarás en nosotros, si quieres. ¿Le has preguntado a Guille cómo estaba? ¿Si le pasaba algo? ¿Te has parado a pensar cómo lo puede estar pasando? Pues no, ¿por qué? Porque eres un puto egoísta.

A Tristán se le desdibujaron los labios, como si quisiera decir algo.

—¿En serio crees eso? —Respiraba aceleradamente—. ¿Que soy un egoísta?

Luis prefirió contenerse.

—¿Recuerdas el verano que trabajamos juntos? —dijo Tristán—. Aquel verano en el que hicimos mil horas, que no teníamos tiempo, un verano que ni siquiera pudimos ir a la playa, que ni nos pusimos morenos porque casi no vimos el sol… Pues van pasando los años, van llegando los veranos y aquel, aún con todo, todavía lo recuerdo como el mejor verano de mi vida. Y no fue por el trabajo, ni por las noches de fiesta, ni siquiera por la gente que conocimos. Fue el mejor porque cada día, pasara lo que pasara, sabía que al despertarme, iría a trabajar y ahí estarían los dos chicos a los que consideraba por aquel entonces mis mejores amigos. Y sabía que estuviera bien o mal, Guille haría alguna locura y nos reiríamos, tú explicarías cualquier chorrada de las tuyas y, seguramente, también nos cachondearíamos. ¡Nos reíamos de todo!

Luis bajó la mirada. Tristán tenía los ojos rojos.

151

—Y algo en mí creía que desde aquel verano, todo iba a ser así siempre. Y que con los años estaríamos incluso más unidos. Pero no, pasaba el tiempo y cada vez estábamos más separados. Tú estabas siempre con tu novio y Guille siempre con sus trabajos y, además, que parece que siempre me esté echando en cara que no sintiera lo mismo que él.

»Este año, cuando vi que mi familia se iba a la mierda, me quedaba sin casa, sin dinero y sin nada, lo único que quise fue recuperar algo de lo que habían sido aquellos meses, solo quería pasar unos días con vosotros. En el fondo, quería volver a aquel verano, aquellas risas. Quería sentirme otra vez cerca de vosotros. ¿Eso es lo que te parece egoísta? —Le cayó una lágrima—. Os llamé para trabajar aquel verano, os he llamado para estas vacaciones. ¿Y te parece egoísta? Egoísta es que cada uno haga su puta vida.

»Pero ¿sabes qué? —Tristán recuperó su tono de voz normal—. Que ahora ya me empieza a dar igual. Y que habéis sido muy buenos amigos, pero ahora creo que os podéis ir los dos, Guille y tú, a la puta mierda.

Cogió el móvil y mandó un mensaje de audio:

—Mateo, perdona, que he tenido un poco de lío, voy para allá. Me apetece verte y estar contigo. —Soltó el botón y se dirigió a Luis—: Porque tal vez ya no me apetezca tanto volver a veros.

Tristán cogió la mochila. Luis solo añadió:

—Cuidado con Mateo, solo te digo eso.

—En serio que no puedo ya con tus consejos, Luis —movió la cabeza—, ¿por qué no te aplicas tú tus consejos? Aconséjate, por ejemplo, no casarte… Aconséjate no hacer daño a tu novio…

—Tristán, va, que estamos muy tensos.

—Pues tranquilo, que ya me voy, y nos quedamos tranquilos.

Tristán se dirigió a la puerta.

—Cuídate. —Y salió.

Luis se puso las manos en la cabeza y suspiró profundamente. Avanzó un par de pasos sin rumbo y finalmente dio una fuerte patada empujando la mesa.

—¡¡¡Joder!!!

Cogió el teléfono móvil y escribió en el grupo de las Heladeras.

LUIS. Chicos, esperad, volved. No nos separemos.

En ese momento, Guille abandonó el grupo. Tristán hizo lo mismo.

Luis llamó a Guille, quien no le cogió el teléfono. Insistió varias veces, pero no recibió respuesta.

Guille andaba deprisa con la maleta por la carretera de El Palmar. Además de la rabia, lloraba desconsolado. Rechazaba las llamadas de Luis todo el rato. Hasta que dejó de intentarlo. En ese momento, llamó a Débora.

—¿Aló? —respondió.

—Débora —dijo con la voz rota y entre sollozos—, soy Guille.

—¡Guille! ¿Cómo andás? Perdoná, no guardé tu número.

—Tenías razón. Tengo que alejarme. No puedo más. Me estoy yendo al aeropuerto, acabo de coger un vuelo, me voy para Barcelona.

—¡Aaah! Relajá, claro, tomate tu tiempo. Y olvidate de Tristán, Tristán pasó a la historia.

—Gracias, Débora, ya hablaremos.

Débora, sorprendida por la llamada, se quedó mirando el móvil, bastante desconcertada. Estaba en la terraza de un bar tomando un gin-tonic.

—¿Qué ha pasado, cariño? —le preguntó Olegario, que estaba sentado enfrente de ella.

—Nada, amor. Una larga historia. Los chicos que vinieron a cenar, ayer, resulta que uno ellos, Guille, está locamente enamorado de su amigo, Tristán, que justo es el chico con el que quedó Mateo esta tarde. Pero ahora ya se fue, y es lo mejor, que se vaya y que cada uno haga su vida. Y luego estaba Luis: que estaba me caso, no me caso, me caso, no me caso…

—Espera. ¿Uno de los que vinieron a cenar ayer se llama Tristán? —A Olegario le cambió completamente la expresión de la cara. Se puso serio.

—Sí. Relindo el nombre, ¿cierto? Ahora, no me gustó nada ese muchacho para Mateo.

153

—¿Y es el que ha invitado a casa esta tarde?

—Sí, andá, no seas cotilla. ¿Pedimos otra?

—Sí, cariño, claro. Pero espérame aquí. Creo que tengo que pasar por casa un momento, necesito coger una chaqueta, parece que está refrescando.

Tristán caminaba a toda prisa hacia casa de Mateo. Le sonaba el móvil, era Luis. No le cogía. Le estuvo insistiendo hasta que, finalmente, sí le respondió.

—¿Qué quieres? —dijo enfurecido.

—Tío, Tristán, vuelve, Guille no me coge el teléfono. Llámalo, que este es capaz de todo. Me da miedo.

—Me da igual —dijo Tristán—. Que cada uno haga lo que quiera.

Tristán estaba a pocos metros de la casa de Mateo cuando apareció la furgoneta negra. Tristán se asustó al ver el vehículo, pero sobre todo, al ver que Olegario estaba al volante.

—¿Adónde te crees que vas?

Tristán miró hacia otro lado. Como si tratara de esconderse. Se dio media vuelta y empezó a acelerar el paso.

—Luis, está aquí Olegario, ¡mierda! Ven, ¡por favor!

—¡Tristán! —gritó Olegario desde su furgoneta.

Este se giró y vio cómo el socio de su padre le apuntaba con un arma.

Luis, desde el otro lado del teléfono, apenas pudo oír lo que le dijo.

—Sube al coche.

Se cortó la llamada.

19

El faro

Guille estaba de pie en la parada de bus. Llevaba su bolsa del gimnasio. Su expresión era triste. Estaba en la salida de El Palmar que conectaba con otros pueblos. Observaba el paisaje, miraba el móvil. Veía que llegaban mensajes, pero no los leía. Se lo guardó en un bolsillo. Tenía los ojos llorosos.

Por la carretera pasaban coches, motos, tractores y algún autocar. En el carril que salía de El Palmar, una fila de vehículos esperaba a incorporarse a la carretera principal.

Luis seguía intentando llamar a Tristán pero el móvil le salía apagado. Se quedó mirando el aparato impaciente, pensativo, dando vueltas por el bungaló, hasta que vio las llaves de la furgoneta en la mesa.

—Mateo… —dijo en un susurro.

Enseguida se puso las zapatillas y salió corriendo.

Un autobús con un letrero electrónico donde ponía «Aeropuerto» llegó a la parada. Una cola de unas siete personas iba subiendo con cuentagotas y pagando su billete a la conductora. Guille se había puesto el último.

La hilera de coches que esperaba para coger la carretera principal pudo salir gracias a que el bus paró un largo rato. Entre ellos, Guille distinguió un pequeño coche blanco, bastante destartalado, una moto grande, una autocaravana y, por último, una furgoneta negra que llamó especialmente su atención.

Subió y pagó los cuatro euros del billete a la conductora, una mujer de unos cincuenta años, cara risueña y con un parche en el ojo izquierdo. Llevaba varias pulseras con pequeñas calaveras.

Guille seguía mirando los vehículos que pasaban delante del bus. Aquella furgoneta pasó justo antes de que el bus se pusiera en marcha otra vez, dejando ver la parte trasera, donde Guille vio dibujada una palmera y un faro; al lado ponía en letras de color «Villas Palmar». En el asiento del copiloto, le pareció ver la camisa de Tristán.

Luis aparcó frente a la casa de Mateo. Empezó a llamar al timbre y a dar golpes a la puerta desesperadamente.

—¡Mateo! —gritó—. ¡Mateo! ¡Sal, por favor!

—¿Luis? —Mateo se acercó a la verja y abrió las cerraduras.

—Mateo, tienes que ayudarme —dijo Luis entrando precipitadamente.

El argentino apenas reaccionó a pesar de la agitada actitud de Luis.

—¿Qué pasó? —dijo tranquilo.

A Luis le costaba respirar, apenas podía hablar.

—Olegario… Tristán… Olegario se ha llevado a Tristán, mientras venía hacia aquí, se lo ha llevado.

—Olegario está con mi mamá tomando un trago, ¿qué decís?

—Mateo, escúchame, te lo explicaremos todo. Pero Olegario puede hacerle mucho daño a Tristán, se lo ha llevado, tienes que ayudarme a encontrarle.

Mateo le miró fijamente. Estuvo pensando un rato, como si buscara una respuesta. Finalmente, cogiéndole del brazo y acompañándole a la puerta le dijo:

—Lo siento, yo no quiero problemas. Yo quería pasarla bien con Tristán, lo demás no me interesa.

Luis le miró desconcertado.

—Eres un hijo de puta…

Mateo desvió la mirada, Luis salió corriendo y volvió a la furgoneta.

156

ϒ

Guille no se movía de al lado de la conductora. No perdía de vista la furgoneta negra.

—¿Adónde cree que puede ir esa furgoneta? —le preguntó.

—A construir y a cargarse naturaleza.

—¿Cómo?

—Esta gente no hace más que destrozar la costa. ¡Hijos de puta! —gritó aquella mujer e hizo sonar la bocina del bus. Luego le dio la mano a Guille—. Soy la Francis, para servirle. Tengo un ojo tuerto, pero es que *pa* lo que hay que ver, ya me va bien.

Sacó el móvil del bolsillo, dando un volantazo y le enseñó una foto. Se la veía ella al frente de una manifestación en la playa.

—Estos hijos de puta se van a cargar el faro —dijo indignada—, pero ya no hay nada que hacer.

En ese momento Guille recibió una llamada de Luis, esta vez sí que le respondió.

—Olegario se ha llevado a Tristán —dijo desesperado—. No sé cómo ha sido, cómo ha sabido que estaba aquí, pero se lo ha llevado.

—¡¿Qué?! —respondió Guille alarmado—. Estoy en el bus, Luis, tengo la furgoneta delante. Me había parecido ver a Tristán, pero no sabía si…

En ese momento, llegaron a una rotonda. La furgoneta cogió la segunda salida, yéndose a la izquierda. El bus, en cambio, se iba a la derecha.

—¡Siga por favor a aquella furgoneta! —gritó Guille a la conductora.

—Pero ¿usted me ha visto a mí cara de patrullera? —dijo con toda la tranquilidad del mundo—. Aquí vamos al aeropuerto. —Y giró hacia la derecha.

—¡Sígala por favor! —dijo sin soltar el móvil de su oreja.

Guille recorrió todo el pasillo del bus hasta el último asiento viendo cómo la furgoneta de Olegario se alejaba hacia el camino del faro.

—Luis, ¡están yendo hacia el faro! Corre, ve hacia allá.

El autobús seguía su ruta a toda velocidad. Corrió por el pasillo, ante la mirada expectante de los pasajeros, hacia la parte delantera.

—¡Pare, pare! —le gritó a la conductora.

—Pero ¿tú te crees que esto es el metro? —La Francis no se

157

alteraba—. Hasta Conil no paro, a no ser que se me ponga una vaca en medio de la carretera. Que también soy animalista.

Guille intentaba apoyarse en algún lado, la carretera era un poco enrevesada.

—Por favor, Francis —dijo mientras se acercaba al freno de mano—. O frena usted el bus, o lo freno yo.

Ella le miró con una sonrisa compasiva.

—¿Y qué vas a hacer? ¿Correr detrás de la furgoneta? Ya no llegas.

Guille agarró con la mano el freno de mano.

—No lo sé… —dijo con la voz baja—, pero mi amigo está en esa furgoneta y está en peligro. Y como le pase algo, no me lo perdonaré jamás. Por favor, créeme, que si no frenas tú, freno yo.

—¿Un amigo en peligro, dice? —Francis se puso seria y miró por primera vez a los ojos de Guille—. Pues quien tiene un amigo —dijo mientras miraba el retrovisor y empezaba una maniobra— tiene un tesoro. —Y le enseñó a Guille su ojo tuerto—. ¡Y a mí me llaman la Pirata!

En la siguiente rotonda, giró bruscamente a la izquierda provocando gritos y alboroto entre los pasajeros. Hizo un cambio de sentido y volvió por la carretera siguiendo a la furgoneta.

Encendió el micrófono y dijo por el altavoz:

—Damas y caballeros. —Puso voz formal y sonrió a Guille—. Tenemos que hacer una parada de urgencia en el faro de Trafalgar. —Se oyeron gritos de indignación—. No se preocupen, que luego la Pirata le mete caña a este buga y llegaremos todos puntuales al aeropuerto. —Miró a Guille y añadió—: Y si hace falta, ¡le meto alas a esto y vuelo yo!

Guille no se contuvo la risa, la mirada se le iluminó y le dio un beso. Cogió su móvil y le mandó un mensaje de audio a Luis:

—Luis, ¡estoy yendo hacia el faro!

—¿Adónde me llevas? —preguntó Tristán nervioso.

Le temblaban las piernas, la voz y las manos. Estaba sentado al lado de Olegario, que conducía su furgoneta.

—Ya va siendo hora —respondió Olegario— de que sepas a qué se dedica el simpático de tu padre.

20

¿En qué nos hemos convertido?

*L*a furgoneta de Olegario ya subía la cuesta del faro de Trafalgar. A los lados, kilómetros de playa. El mar estaba agitado.

—Deja el móvil aquí —le ordenó— y bájate. Y ni se te ocurra irte corriendo.

Tristán estaba asustado y con las manos temblorosas. Abrió con torpeza la puerta y salió. Olegario le indicó con la mirada que le acompañara. Empezaron a andar bordeando el mirador, pasando por las afiladas piedras que dejaban entrever cómo las olas golpeaban con fuerza las rocas.

Olegario tenía las manos en los bolsillos del pantalón. Miraba el mar. Tristán iba a su lado. Tras andar unos metros en silencio, Olegario empezó a hablar:

—Con veinte años conocí yo a tu a padre.

El ruido de un fuerte oleaje hizo a Tristán mirar hacia abajo y alejarse del borde.

—Estudiamos juntos la carrera —continuó Olegario—. Fue exactamente en el segundo curso, cuando nos tocó hacer un trabajo juntos para una asignatura, que nos conocimos bien y, digamos, comenzó nuestra amistad. Teníamos un profesor muy gilipollas, pero eso nos unió. Desde entonces, nos hicimos inseparables. Además, todo sea dicho, sacamos la mejor nota. Hicimos muy buen tándem desde el principio.

—Mi padre me lo ha contado muchas veces —dijo Tristán dibujando una sonrisa insegura—. Íntimos amigos, socios...

—Tú lo has dicho —respondió Olegario chasqueando la lengua y respirando profundamente—. Antonio y yo éramos íntimos amigos. Compañeros de fiesta, de aventuras, de penas, de alegrías… Y ya sabes cómo era tu padre a tu edad. —Olegario miró a Tristán de arriba abajo—. Pues más o menos como tú: alto, buena planta, simpático, inteligente. Ha sido siempre muy inteligente.

Tristán se paraba a ratos, cerraba los ojos, respiraba, miraba hacia adelante y seguía.

—Yo, en cambio, era el otro, el simpático, el gracioso, el bufón… Siempre lo fui, desde pequeño. No era tampoco un ogro, pero nunca he sido el marido con el que ninguna chica soñaba. —Se ajustó el cuello de la camisa—. En fin. Eso ahora ya no importa.

Avanzaban muy despacio, sin rumbo concreto. Tristán se palpó los bolsillos intuitivamente, como si buscara el móvil, pero no tenía nada. Miró a su alrededor con ansiedad y no vio a nadie. Estaban solos.

—Pronto tu padre y yo encontramos juntos nuestro primer trabajo, el de verdad, el de la nómina. El bien pagado.

Tristán levantó las cejas.

—Ahí es donde conocisteis a mi madre, ¿no?

Olegario se paró en seco. Contemplaba el paisaje, pero en ese momento dirigió su mirada a Tristán.

—Exacto, ahí es donde conocimos a Carmen, a tu madre. —Sonrió—. Y, como sabrás, Carmen era una mujer increíble, era imposible no fijarse en ella. No solo era hermosa, que lo sigue siendo, era también una excelente persona, cariñosa, lista, valiente. Tu padre se fijó en ella y yo me fijé en ella.

»Y yo sabía perfectamente lo que iba a suceder, y no me equivoqué; yo fui el primero en acercarme los primeros días: un par de recaditos, un par de gracias, y al poco tiempo me hice amigo suyo.

»Entonces, con los días, ella me empezó a preguntar por Antonio. Él estaba ahí, en la retaguardia, seguro de que, sin mover un dedo, solo con un par de miradas, atraería a aquella chica. Yo los presenté y ahí fue cuando empezaron a verse. Primero salíamos los tres, luego ya empezaron a verse más a solas. Primero la tontería, después se enamoraron de verdad, tuvieron una relación…, una relación preciosa. Se casaron y, al cabo de unos cuantos años, te tuvieron a ti. —Olegario hizo un pausa—. Un hijo…, un hijo fantástico, no lo voy a negar.

160

»Y pensarás que yo tendría envidia de tu padre, que le tenía rabia o rencor. —Olegario volvió a andar—. Puede ser que a veces le tuviera un poco de celos, pero no, Tristán, no. Yo me alegré por ellos, desde el primer día, porque los dos se lo merecían. Se merecían totalmente el uno al otro.

Tristán tragó saliva. Un aire frío y punzante le erizó la piel.

—Nuestra relación de amistad seguía. Además, arrancábamos negocios, ganábamos dinero, mucho dinero…, y eso nos mantenía unidos.

Bordeaban el mirador dirigiéndose hacia la parte interior. El sonido de las olas quedaba un poco atrás.

—Teníamos mucho dinero, tú lo sabes mejor que nadie, también lo has disfrutado. De sobra para casas grandes, viajes de lujo, coches nuevos, piscinas, putas… —dijo sin pestañear.

Tristán apartó la mirada.

—Pero cada vez queríamos más. —Se le agravó el tono—. Y ya empezamos que si una triquiñuela por aquí y me llevo un pellizquito. Ahora compro allá y el pellizco es un poco más grande… Y siempre ganábamos.

Olegario se detuvo mirando a la zona de dunas.

—Y ahora tocaba esto —dijo mostrando el terreno con las manos.

Tristán ladeó la cabeza.

—En un principio no se podía edificar aquí, pero no nos fue muy difícil hacernos con algunos permisos.

—No hace falta que me cuentes todo lo que…

—Y lo veo ahora, y pienso para mis adentros: ¿en qué nos hemos convertido?, ¿no?, ¿cómo hemos llegado hasta este punto? Pero es que nos habíamos dejado llevar, tanto tu padre como yo, por un camino que seguramente no sea el correcto, pero fue nuestro camino, el que compartimos desde el primer día…

—¿Y ahora? —dijo Tristán con un tono más alto de voz—, ¿mandas a la mierda toda esta amistad?

Olegario suspiró y dibujó una sonrisa.

—Lo sé, Tristán. Sé que puedo parecer un miserable, y no te negaré que lo habré sido en más de una ocasión. No soy el tipo de persona que este mundo necesita. Pero a tu padre, Tristán, a Antonio, jamás le fallé. —Se le ahogaba la voz—. Jamás. Siempre he sido un buen amigo.

161

—No lo has sido, aprovechaste que estaba enfermo para arruinarlo.

—Un buen día —dijo Olegario alzando la voz—, en medio de toda esta montaña de mierda en la que nos estábamos metiendo…, descubro que Antonio, mi amigo de toda la vida, mi mejor amigo desde la universidad… —a Olegario se le enrojecieron los ojos—, está teniendo una aventura, a mis espaldas, nada más y nada menos, que con Débora, la mujer con la que por fin estaba empezando a tener algo bonito.

A Tristán se le abrieron los ojos de par en par.

—Sí, Tristán —le dijo mirándole con ira—. Tu padre, no contento con pasar una vida al lado de la mujer más maravillosa del mundo, encima con dinero, necesitaba sentirse más poderoso aún y, en vez de acostarse con cualquier otra mujer, una accionista, una clienta, yo qué sé, ¡cualquiera! —se le rasgó la voz—, tuvo que acostarse con mi mujer.

—¡Eso no es verdad! —dijo Tristán—, mi padre jamás haría algo así.

—¿Crees que no? —Olegario se rio con lástima—. Pregúntaselo a tu madre si quieres, porque fue ella quien lo descubrió. Fue Carmen la que me llamó para vernos urgentemente y contarme, destrozada, que su marido la estaba engañando con otra mujer. A los pocos días descubrimos que la otra mujer era Débora.

Tristán se paró en seco.

—Y en ese momento fui consciente de que mi mujer me había engañado, que lo estaba haciendo con el que yo creía que era mi mejor amigo. Y, por si fuera poco, delante de mí tenía a aquella chica, porque jamás pasó el tiempo para ella, de la que me había enamorado tantos años atrás, a la cual aún amaba —Olegario empezó a llorar—, y estaba destrozada, buscando consuelo en… buscando consuelo en la persona a la que jamás hizo caso. En ese momento, Tristán, me sentí tan miserable que decidí acabar con todos.

Guille estaba en el bus que Francis la Pirata conducía a toda velocidad. Se adentraron en el camino que llevaba al faro, pero las dimensiones del vehículo, la gente que pululaba por allí, algunos tenderetes, no lo dejaban circular con agilidad.

Los pasajeros se quejaban, alguno había llamado a la Policía.

—Déjame aquí —dijo Guille—, ya sigo yo.

—Creo que va a ser lo mejor —dijo la Pirata y, alzando la voz, se dirigió a los pasajeros—: ¡Que ya volvemos, pesadas, que sois muy pesadas!

—Muchas gracias. —Guille le dio un beso en la mejilla y bajó corriendo.

Luis llegaba conduciendo la furgoneta. Había sorteado gente y coches. En ese momento pasó por delante del autobús y vio a su amigo.

—¡Guille! —le gritó—. ¡Sube!

Un policía se puso delante de ellos.

—¿Adónde vais con tanta prisa? —les dijo.

—Por favor, agente, es muy muy muy urgente.

El policía los miró y negó con la cabeza.

—Pues tendréis que correr. A esta hora no se puede circular por aquí.

—¡Joder! —gritó Luis—. Tenemos que llegar sí o sí.

El agente no cedió. Bajaron de la furgoneta y echaron a correr hacia el faro.

—Pero todo esto ya empieza a ser agua más que pasada —retomó Olegario—. Yo me he reconciliado con Débora. Al final, a ella le va bien mi dinero. Y tus padres —puso cara de indiferencia—, ya se apañarán.

Tristán estaba totalmente descolocado, le podía el miedo, la confusión.

—Olegario, siento mucho todo lo que ha pasado —dijo a trompicones—, pero yo de verdad que no he hecho nada.

—¿Ah, no? —Olegario adoptó un tono más agresivo—. ¿Y por qué coño os tenéis que meter en mi casa, con Débora y Mateo, mi familia?

—Yo no sabía nada, ¡te lo prometo! Conocimos a Mateo en la playa. Ha sido una casualidad, te lo prometo.

Olegario seguía acercando a Tristán al borde del acantilado.

—¿Casualidad? Pues qué casualidad que tu amigo Luis se

163

metiera en mi despacho, husmeara los cajones como una rata de cloaca, ¡y se llevara justo mi portátil!

—Pero… ¿cómo? —Tristán miraba atemorizado. Cada vez sus pies estaban más cerca del borde.

—En cuanto supe que estuvisteis en mi casa revisé las cámaras de seguridad. No sabéis con quién os estáis metiendo.

A Tristán le faltaba el aire.

—No tenemos nada, te lo juro.

—Mientes casi tan bien como tu padre. —Avanzó un paso más—. Entonces, si no tienes nada, ¿por qué no me enseñas lo que llevas en la mochila?

—No tengo nada, te lo promet…

Olegario empezó a forcejear con Tristán cogiéndole la camiseta con el puño.

—¡Tristán! —dijo agresivo—. Si sale a la luz todo lo que llevas ahí, no solo meterás a tu padre en la cárcel, meterás también a tu madre y también a ti. ¿Quieres acabar con tu juventud ahora que estás en la flor de…?

—¡Me da igual! Si pagamos, que paguemos todos, no me da miedo. Pero a mi padre no le dejo solo. Me da igual lo que haya hecho. Es mi padre.

—Piénsalo, Tristán, todo el dinero que vamos a ganar.

—Detén el proyecto, Olegario. Si detienes esto, ninguno iremos a la cárcel y esto quedará intacto, o es que quieres seguir destrozándolo todo.

—Estas vistas son bonitas, si tienes con quién mirarlas. Yo, personalmente, prefiero mirar el dinero, que nunca me ha traicionado.

Tristán intentó apartar los brazos de Olegario.

—¡Devuélveme el ordenador!

Estuvieron forcejeando hasta que Tristán pudo soltarse empujando a Olegario. Este retrocedió unos pasos, tropezó con una piedra y cayó de espaldas. Su cabeza dio contra una afilada roca.

Tristán se acercó a él y le dio la vuelta. Le miró horrorizado, respiró con fuerza negando con la cabeza, mirando a su alrededor, tapándose la boca. Le cogió de la camisa sacudiéndole el cuerpo, llamándole por su nombre, le levantó la barbilla.

Tenía los ojos cerrados.

Olegario no reaccionaba.

21

Tres chicos buenos

—¡*T*ristáaaan! ¡Tristáaaaan! —gritaba Guille.

—¡Tristán! —gritaba Luis a pleno pulmón.

Llegaron corriendo al mirador del faro. Les costaba respirar. Vieron la furgoneta negra y miraron dentro a través de las ventanillas, no había nadie. Estuvieron dando vueltas alrededor, pero no vieron a su amigo.

—¡Chicos! —A lo lejos oyeron la voz de Tristán—. ¡Estoy aquí!

Luis y Guille bajaron corriendo por el camino rocoso hasta la pequeña cala. Ahí estaba Tristán fuera de sí, con las manos en la cabeza y llorando desesperado.

—Le he matado —dijo con la voz temblorosa.

—Pero… —Luis se acercó.

—Os juro que ha sido sin querer.

Tristán les señaló una roca grande de unos dos metros. Los tres fueron hacia allí. Detrás, sobre la arena, yacía el cuerpo de Olegario. Le sangraba la cabeza. Las olas le iban mojando. Luis y Guille se acercaron horrorizados.

—Nooo, joder, ¡nooo! —gritó Guille.

—Tristán —preguntó Luis—, ¿qué has hecho?

—Estábamos hablando, allá arriba, en el mirador. Se me ha acercado, yo me he asustado. Llevaba una pistola… y le he empujado —Tristán hablaba sin aliento—. Se…, se ha… dado un golpe y… ya no reaccionaba.

Con los ojos desorbitados, los tres miraban el cuerpo.

—No sabía qué hacer —lloraba Tristán—, le he bajado aquí antes de que nadie me viera.

Luis se puso el puño en la frente. Empezó a dar vueltas sobre sí mismo. Guille miraba atónito. Tristán se arrodilló temblando en la arena. Luis se le acercó.

—Diremos que ha sido en defensa propia. Que te atacó y le empujaste, en tu defensa.

—Nadie se lo va a creer. —Tristán negaba con la cabeza.

—Diré que he sido yo —dijo Guille sin dejar de mirar el cuerpo, empezando a llorar—. Ha sido culpa mía.

—¿Qué dices? —respondió Luis— ¿Qué te pasa ahora?

—Yo he llamado a... —no acabó la frase.

—Tú no has sido, Guille, ninguno de nosotros ha hecho nada, ¿está claro? —dijo Luis— Pero hay que hacer algo, enseguida va a empezar a llegar gente.

De golpe, Tristán dejó de llorar. Miró a Luis y a Guille.

—Tienes razón —dijo decidido—, diremos que ha sido en defensa propia.

Se acercó al cuerpo de Olegario y de un bolsillo sacó una pistola. Se la tendió a Luis.

—Dispárame en la pierna, ¡corre!

Luis se quedó mudo.

—No... No puedo —respondió—, no tengo fuerza en los brazos, puedo salir volando.

Ambos miraron a Guille, que negó con la cabeza.

—Guille, por favor —le rogó Luis—, no tenemos tiempo.

—Ni loco, no lo hago ni loco —respondió contundente.

Tristán se acercó y le puso la pistola en su mano. Se alejó unos metros y le señaló su propia pierna derecha.

—¡Dispara! ¡Dispara! —gritó Tristán tensando la garganta mientras cerraba los ojos.

—¡No puedo!

—Venga, Guille —dijo Luis—, no hay más tiempo que perder.

—Dispárame, por favor —le rogó Tristán—. Es lo único que nos puede salvar.

Guille sujetaba el arma horrorizado. Poco a poco fue levantando el brazo. Apuntó a Tristán. Dejó de temblarle el pulso.

Contó hasta tres.

Y disparó.

Tristán gritó muy alto.

Luis se tapó los ojos.

Guille miraba exhausto.

Aún con el sonido del disparo resonando entre las rocas, Tristán, que seguía de pie, se miró la pierna. La bala le había pasado por el muslo derecho creándole una profunda herida que empezó a sangrar. Perdió el equilibrio y cayó al suelo.

Los dos corrieron hacia él.

—¡No! —gritó Tristán con dolor—. Guille, limpia la pistola y ponla cerca de Olegario.

Guille le miraba inmóvil, aún con la pistola en la mano como si no supiera qué hacer.

Luis se la cogió y la limpió con agua de mar. Después la llevó cerca del cuerpo de Olegario. Le cogió las manos y manoseó la pistola con ella.

Guille, con su camiseta, corrió a taparle la herida a Tristán.

—Deja.

—No, te acabo de disparar, tengo que curarte, tenemos que llamar a una ambulancia.

—¡Guille! —Tristán le cogió de los hombros, pero enseguida perdió fuerza y volvió a apoyarse en el suelo, la herida le sangraba cada vez más. Le miró fijamente a los ojos—. Tú no has disparado a nadie. Olegario es quien me acaba de disparar, yo le he empujado para defenderme, entonces se ha caído y se ha dado un golpe con la roca. Y yo ahora mismo voy a llamar a la Policía.

167

Guille hizo presión sobre la herida.

—¡Mierda! —gritó Tristán—. ¡Mi móvil! Está en la furgoneta de Olegario, no, mierda, mierda…

Se quiso levantar, pero le falló la pierna, cada vez le costaba más respirar.

—Estate quieto —le dijo Guille.

Luis se acercó a donde estaban sus amigos. Tristán lloraba del dolor, cada vez le costaba más respirar, hasta que perdió la consciencia y quedó tendido con la cabeza en la arena.

Luis y Guille se abalanzaron hacia él, asustados, intentando reanimarle. Pero Tristán no reaccionaba. Había perdido mucha sangre. Empezaron a gritar pidiendo ayuda.

En ese momento apareció el policía que los había parado antes. Corrieron hacia ellos.

Más gente, como salida de la nada, se fue acercando, observando, comentando. Las caras eran de pánico.

A los pocos minutos, llegaron las ambulancias. Un equipo de emergencias se llevó el cuerpo de Olegario en una camilla y cubierto por una manta térmica dorada. Otro equipo médico se acercó a Tristán. Se lo llevaron también al hospital. Luis y Guille quisieron acompañarle, pero no les dejaron. Tuvieron que quedarse en aquella playa, mientras les tomaban declaración.

Luis, cuando la Policía le preguntó, señalaba la roca donde había estado el cuerpo de Olegario y con mímica parecía reproducir los hechos.

Guille, sentado en una roca, con expresión de terror, casi no hablaba, a la Policía le respondía con monosílabos. Les rogaba poder ir al hospital con su amigo. No le dejaban.

Las ambulancias se fueron. Acordonaron la zona. Dispersaron a los curiosos. Poco a poco fueron despejando aquella playa. Había oscurecido por completo cuando ya no quedaba absolutamente nadie.

En el hospital de Conil reinaba el silencio. En los pasillos había poca luz, poca gente, pacientes esperando a ser atendidos y algunos familiares intentando dormir en el suelo o en alguna sala.

Eran las cuatro de la madrugada. Tristán estaba en una habitación de la quinta planta. Estirado en la cama, seguía sin despertarse. Aun con pronóstico estable, había perdido mucha sangre. Le habían cosido la herida de bala en el muslo. En el antebrazo le habían inyectado una sonda para que recibiera suero.

Luis estaba sentado al lado. No apartaba la vista de su amigo. Aunque no debía alarmarse, necesitaba verle despertar.

Tristán estaba boca arriba, tapado solo hasta la cintura y llevaba una camiseta de hospital. Sus ojos, tras horas cerrados, empezaron a abrirse poco a poco. Luis se acercó enseguida. Tristán miró, desconcertado, totalmente desubicado.

—¿Dónde…?

—Tristán —dijo Luis sonriente—, estás en el hospital, estás bien.

—Pero... ¿qué ha...? —De repente reaccionó, abrió los ojos de par en par y se incorporó pegando un estirón al cable del suero—. ¿Qué ha pasado? ¿Y Olegario? ¿Ha muerto?

—Tranquilo, Tristán, no te preocupes por eso ahora.

—Dímelo, ¿dónde está?

Dos plantas más abajo, Débora no podía aguantar el llanto. Olegario yacía en la cama con una herida grave en la cabeza. También había recibido puntos, el pronóstico era menos esperanzador.

—¿Se puede? —preguntó Guille, que entraba cautelosamente por la puerta.

Débora se giró y le abrazó desconsolada.

—Guille, estás aquí, gracias. Gracias por venir.

Estuvieron abrazados un rato largo, hasta que Débora se calmó y cogió aire.

—Créeme, Guille, no quiero que se vaya.

—Claro que te creo. —Guille la cogió por los hombros—. Me mentiste cuando dijiste que le querías por el dinero. Tú le quieres, pero le quieres a él.

Débora rompió a llorar.

—Mírate cómo estás. Solo sufrimos por las personas a las que queremos.

Estuvieron un rato más contemplando el cuerpo de Olegario. Guille recibió un mensaje de Luis diciendo que Tristán había despertado. Se le iluminó la cara. Débora le sonrió.

—Andá con él.

Guille subió a toda prisa a la quinta planta. Entró en la habitación y se lanzó hacia Tristán.

—¿Estás bien?

—Sí. ¿Y tú? —le preguntó Tristán con una sonrisa.

—También.

Se abrazaron cariñosamente.

—¿Cómo está Olegario?

En ese momento, Débora entró en la habitación.

—Está bien, se pondrá bien. —Se acercó a la cama de Tristán—. Así que tú eres hijo del señor Ayala.

Tristán asintió asustado. Débora abrió el bolso y cogió el

169

móvil que se había quedado en la furgoneta de Olegario. Se lo dejó encima del pecho.

—Acá tenés, imagino que querrás llamar a tu papá. Y cuando hablés con él, decile que mañana mismo, DLS, aquí presente, va a retirar toda denuncia contra él. Así como que vamos a detener el proyecto Apartamentos El Faro. —Los tres sonrieron—. Quiero que esa playa siga siendo la más bonita del mundo y poder pasear allí cada atardecer.

No pudieron aguantar el llanto. Tristán reía.

—Gracias, Débora —respondió—. Además, ahora mis padres van a tener que buscarse una casa cada uno, empezar una nueva vida…, les conviene tener un problema menos.

—Cualquier cosa que necesités, me escribís. Y ahora los dejo, quiero estar allá cuando se despierte la bestia.

Débora se fue dejando a los tres amigos solos en la habitación. Tristán miró a Guille y le cogió de la mano con fuerza.

—Gracias, Guille —le dijo—, y perdóname.

—Tranquilo. Creo que me fue bien dispararte. En el momento en que apretaba el gatillo, me di cuenta de que en el fondo no te odiaba tanto.

A pesar de ser de noche, por la ventana entraba la claridad de un cielo estrellado.

—Mirad la luna —dijo Luis—, se ve desde aquí, la segunda luna llena del mes.

Los tres la contemplaron. Guille los miró risueño.

—Por cierto, vosotros me prometisteis una cosa.

—Imposible, Guille, mira cómo está Tristán.

—Estás loco, ¿cómo vamos a ir ahora?

—Nos vamos a la playa ahora mismo —dijo Guille obligando a Tristán a levantarse—, y nos vamos a bañar los tres. Me da igual lo que me digáis.

Consiguió que Tristán se levantara de la cama, le vistieron y se dirigieron a la furgoneta. Le sentaron en el asiento del copiloto, Guille se puso al volante y Luis se sentó detrás.

—Nos vamos a matar —dijo Luis.

—Si no nos hemos matado ya, dudo que nos pase nada ahora —dijo Guille poniendo el motor en marcha con cierta torpeza.

A aquellas horas, la carretera que llevaba al Palmar estaba

vacía. A pesar de la oscuridad, reconocieron los mismos lugares por los que llegaron el primer día a aquel pueblo de playa, hasta entonces desconocido para ellos. Sabían que en la oscuridad se ocultaban los campos de girasoles, los pastos. Lo que sí veían era el mar a lo lejos, con la claridad de la luna reflejada sobre la superficie del agua, en forma de pequeños centelleos. La luz del faro giraba sin haberse detenido ni un solo segundo. Volvieron a coger las rotondas, a pasar por las calles estrechas, a rebotar en los baches. Hablaban poco, solo alguna broma de Guille, algún apunte de Luis o algún comentario de Tristán. Se dedicaban miradas de complicidad. Estaban cansados, pero no podían evitar sonreír. Así llegaron a la playa que estaba al pie del faro. Tristán cojeaba, pero podía moverse. Sentían la arena en sus pies. El sonido del mar era permanente, no se oía nada más. La espuma de las olas brillaba especialmente.

—Chicos. No quiero que acabe nunca este viaje.

Los tres sonrieron y se arrimaron un poco más. La luna llena se veía inmensa, la contemplaron embobados.

—¿Qué creéis que pensará la luna de nosotros? —les preguntó Guille.

—Diría que somos unos despistados, que qué hacemos aquí, porque no son horas de bañarse —respondió Luis.

Guille le miró con cara de desaprobación.

—Yo creo —dijo Tristán—, que si nos viera pensaría que somos unos colgados, ¿no? A estas horas…

—Pues yo creo que la luna ya nos conoce lo suficiente —dijo Guille— como para decir que estamos como una cabra, que no hacemos más que cagarla y que más de una vez bajaría a darnos un par de collejas. Pero ella sabe, porque la luna es sabia, y nos conoce mejor de lo que nos conocemos nosotros mismos, que en el fondo nos queremos, que este no es el primero ni va a ser el último verano que pasemos los tres juntos. Y que si alguien le preguntara por nosotros, estoy seguro de que sonreiría y que, con su vocecita dulce, le respondería: «Lo único que yo veo desde aquí arriba es a tres chicos buenos».

171

Agradecimientos

*E*scribir una primera novela es algo mágico. Hace que cada paso para llegar hasta aquí haya merecido la pena. Por eso, quiero agradecer a toda esa gente que durante el camino me tendió la mano y me motivó a seguir escribiendo.

A la primera persona que quiero dar las gracias es a mi madre, Armanda. Gracias por empujarme siempre a escribir, por valorar cada frase, palabra o reflexión y acabar diciendo: «Tienes que escribir».

Gracias también a Christian, por leer y corregir mis primeros escritos y por motivarme a tomarme la escritura en serio.

Al profesorado del Ateneu Barcelonès y a mis compañeros, en especial a Magda y a David, por compartir los primeros pasos.

Gracias Jonàs, José y Yaiza, por leer mis primeros relatos.

Gracias Fer, Luis, los dos Nachos, Carlos, Marc, José y Vane, por esas vacaciones de verano.

Gracias Estefanía y María José, por esos veranos trabajando horas y horas en el camping.

Gracias Darío, Mónica y Laia por vuestra ayuda con el inglés y el argentino.

Gracias Vig y Denis, por entusiasmaros con los personajes de la novela.

Gracias Noemí, por tu apoyo y confianza.

Gracias también a toda la gran familia de OT, de la que he aprendido tanto.

Gracias infinitas a Natàlia, nada me hace más feliz que haber entrado juntos en este mundo.

Gracias Blanca Rosa, Andrea y a todo el equipo de Roca Editorial por hacer realidad este proyecto.

Gracias a mi familia, a los que ya no están, a los que están lejos y en especial a los que os tengo cerca.

También quiero dar las gracias a todo el mundo que apoya, tanto desde dentro como desde fuera, al colectivo LGTBI, a los que han luchado y luchan en contra de todas las injusticias que a día de hoy sigue habiendo. Este libro habla sobre tres chicos que viven sus sentimientos sin ningún tipo de prejuicio. Soy consciente de que no siempre es así, pero tengo claro que es así como debería ser en cualquier lugar del mundo.

Y el agradecimiento más especial es sin ninguna duda para ti, que tienes el libro entre tus manos, que lo has leído y que ya eres parte de esta gran aventura. De corazón, gracias.

Este libro utiliza el tipo Aldus, que toma su nombre
del vanguardista impresor del Renacimiento
italiano, Aldus Manutius. Hermann Zapf
diseñó el tipo Aldus para la imprenta
Stempel en 1954, como una réplica
más ligera y elegante del
popular tipo
Palatino

Tres chicos buenos
se acabó de imprimir
un día de invierno de 2021,
en los talleres gráficos de Liberdúplex, s. l. u.
Crta. BV-2249, km 7,4. Pol. Ind. Torrentfondo
Sant Llorenç d'Hortons (Barcelona)